HABLANDO DE NEGOCIOS

MARISA DE PRADA
MONTSERRAT BOVET

Primera edición: 1992
Segunda edición: 1993
Tercera edición: 1995
Primera reimpresión: 1996
Cuarta edición (nueva edición corregida): 1998
Primera reimpresión (de la 4ª edición): 1998
Segunda reimpresión: 1999
Tercera reimpresión: 2001
Cuarta reimpresión: 2002

GRUPO DIDASCALIA, S.A.
Plaza Ciudad de Salta, 3 - 28043 MADRID - (ESPAÑA)
TEL.: (34) 914.165.511 - FAX: (34) 914.165.411

CRÉDITOS

Unidad 1   Pág. 18: "Cegasa tiene pilas para rato" (P. Fernández, Diario La Vanguardia).

Unidad 2   Pág. 28: "Ramón Areces, fundador e impulsor de El Corte Inglés" (Revista Actualidad Económica); pág. 32: "La trampa de las palabras" (J.F.B., Diario El País); pág. 33: "Trabajar a gusto" (J. Palarea, Diario La Vanguardia).

Unidad 3   Pág. 46: "El envase es comunicación" (J. Lorente, Ediciones Folio).

Unidad 5   Pág. 73: "La inconstancia arruina a los exportadores españoles" (Periódico Expansión).

Unidad 6   Pág. 84: Encuesta "¿Para qué cree usted que sirven las Cámaras de Comercio?" (Adaptado del Diario La Vanguardia); pág. 89: "Presentación" (Publicación de la Cámara Oficial de Comercio, Industria y Navegación de Barcelona); pág. 91: "Entrevista a Raymond Lebris" (M. J. Asenjo, Revista Actualidad Económica).

Unidad 7   Pág. 101: Encuesta "¿Cómo valora las recientes fusiones bancarias?" (Diario La Vanguardia); pág. 103: "Las compañías de *leasing* como entidades de crédito" (E. Pellevaz, Periódico Expansión); pág. 104: "Entrevista a Josep Vilarasau" (E. Tintoré, Diario La Vanguardia).

Unidad 8   Pág. 111: "El broker Hoare Govett recomienda comprar Fosforera y Unión Fenosa" (Periódico Expansión); pág. 114: "Continúa el descenso de la Bolsa de Nueva York" (Diario El País); pág. 115: "Las jubiladas que sientan cátedra en Wall Street". (Adaptado de Actualidad Económica, M. Saballs, Nueva York.).

Unidad 9   Pág. 128: "Los dos Nobel de 1996" (Cinco Días); pág. 129: "El Nobel de Economía premia a Mirrlees y Vickrey, padres del sistema fiscal moderno" (Diario La Vanguardia).

Unidad 10   Pág. 135: "El buen negociador nace, pero también se hace" (Periódico Expansión).

Hemos buscado y solicitado los derechos de los artículos y anuncios publicitarios que se encuentran en este libro, y agradecemos la amabilidad de cuantos nos han respondido y autorizado la reproducción. Los derechos quedan a su disposición en EDELSA.

Diseño de cubierta: Departamento de Imagen de Edelsa.
Fotografía de cubierta: Brotons.
Maquetación, fotocomposición y fotomecánica: TD GUACH.

Filmación:
ALEF DE BRONCE.
ISBN: 84-7711-240-1
Depósito legal: M-7178-2002
Talleres Gráficos Peñalara, S. A.
Encuaderna: Perellón.
Impreso en España
Printed in Spain

PRÓLOGO

"Hablando de negocios" ha sido concebido para personas que, habiendo adquirido la suficiente competencia lingüística en español para desenvolverse con comodidad en las situaciones cotidianas que pueden afectar, de manera general, a cada individuo, precisan un marco de referencias adecuado para desenvolverse en situaciones más específicas.

En nuestro caso, estas situaciones serán las que tienen lugar en el mundo de los negocios. Por ello, tanto la clasificación temática, como los exponentes de la lengua seleccionados, responden al doble propósito de delimitar de una manera clara los comportamientos lingüísticos específicos que se producen en ese campo, y de evitar el peligro de la rigidez, en el que se puede caer fácilmente, si se olvida la rapidez con que los hablantes solemos pasar de un registro lingüístico a otro.

Para conseguir nuestro objetivo, hemos organizado el libro en unidades temáticas, que, a su vez, se estructuran según los siguientes apartados:

DIÁLOGO: Situación-tipo introductoria del tema. Se indican en cursiva las palabras que serán explicadas en el apartado llamado vocabulario.

VOCABULARIO: Específico del tema y aparecido en el diálogo.

 OBSERVE: Exponentes de la lengua que se usan en la situación tipo planteada en el diálogo, y que se ejemplifican también con otros de los posibles contextos.

 RECUERDE: Revisión de usos gramaticales básicos.

MANOS A LA OBRA: Ejercicios basados en los aspectos lingüísticos tratados en apartados anteriores y cuyo contenido tiene relación con la temática de la unidad. La diferente tipología de los ejercicios se marca con símbolos diversos. Entre ellos,

 aparece junto a ejercicios de relación,

 en los de llenado de huecos o sustitución de formas,

O/O para separar y ordenar,

a b c en la elección múltiple, etc.

Manos a la obra se cierra siempre con un diálogo informal - muy diferente del que abre cada unidad - que tiene lugar en un bar, una cafetería, un restaurante ...., lugares tradicionales de reunión, comidas de trabajo e incluso cierres de operaciones para los españoles.

 Le acompaña como indicación un familiar Bla, Bla, Bla.

• • ❞ **ACTIVIDADES:** Propuesta de debates, conversación, exposiciones, ejercicios de simulación, etc.

COMPRENSIÓN LECTORA: Documentos auténticos que proporcionan análisis, reflexiones y opinión, de profesionales expertos en cada uno de los temas.
La explotación de los documentos se lleva a cabo mediante cuestiones que permiten fijar la comprensión y mejorar la expresión.

 COMPRENSIÓN AUDITIVA: Audición de una entrevista, también auténtica, realizada a un empresario o a un profesional relacionados con el tema.
Explotación de la audición.

Todas las unidades, excepto la 10, siguen este modelo de ordenación. La 10, titulada Negociaciones, se considera como un tema transversal y que, en consecuencia, puede afectar de algún modo a las demás. Para distinguirla se ha diseñado con una organización diferente: ejercicios sobre puntos clave para una negociación, un documento para Comprensión lectora y la presentación de dos planteamientos concretos de negociación.

El producto final ha sido el resultado de sucesivos tanteos, búsquedas, críticas y autocríticas, padecidos y gozados en la docencia de lenguajes específicos, en instituciones como ESADE (Escuela Superior de Administración y Dirección de Empresas) e IESE (Instituto de Estudios Superiores de la Empresa), más que el de un planteamiento teórico escrito. Por lo tanto, os lo ofrecemos como un instrumento de trabajo ya probado en las aulas. Esperamos, con ilusión y confianza, que os resulte útil.

LAS AUTORAS.

NOTA DE AGRADECIMIENTO: Queremos agradecer muy especialmente la colaboración de Isabel Mercadé a lo largo de este trabajo.

ÍNDICE

LA
EMPRESA

RECURSOS
HUMANOS

MARKETING
Y
PUBLICIDAD

COMPRAS
Y
VENTAS

IMPORTACIÓN
Y
EXPORTACIÓN

LA EMPRESA

DIÁLGO

El sr. Arias y el sr. Smith van a consultar a Diego Reyes, *asesor de empresas*.

Diego Reyes: Buenos días. Siéntense, por favor. Bien, ustedes dirán...

Sr. Arias: Buenos días. Verá usted, nosotros querríamos *montar un negocio* de *importación - exportación* en España. Sabemos que hay varias formas de organizar el *capital* y la responsabilidad de los *socios mercantiles*, pero no comprendemos bien la diferencia que hay entre las diferentes sociedades. Por ejemplo, ¿podría usted explicarnos qué es una *sociedad anónima* exactamente?

Diego Reyes: Por supuesto. Mire usted, la característica fundamental de la S.A. es que en ella el *capital social* está dividido en *acciones* que a menudo cotizan en *Bolsa*. Si la sociedad se declara en *quiebra*, los socios no responden con su *patrimonio* personal. La empresa está dirigida por un *Consejo de Administración.* Los componentes de este consejo son nombrados o ratificados por la *Junta General de Accionistas*.

Sr. Arias: Ya veo, sí..., pero no, no comprendo muy bien la diferencia entre la S.A. y la S.R.L., porque en la *Sociedad de Responsabilidad Limitada* tampoco son responsables, ¿no?

Diego Reyes: No exactamente. Vamos a ver si me explico: en la S.R.L. los socios son responsables, pero esta responsabilidad viene limitada por su aportación de capital. El capital está dividido en *participaciones* iguales, acumulables e indivisibles.

Sr. Smith: Ya...., pero, ahora no comprendo la diferencia entre la S.R.L. y la *Sociedad Comanditaria*.

Diego Reyes: Sí, es muy sencillo. En la sociedad comanditaria existen dos tipos de socios: los *colectivos* con responsabilidad ilimitada personal y los *comanditarios*, cuya responsabilidad está limitada a los fondos que aporten.

Sr. Arias: Me parece que empiezo a dominar el tema. Yo creo que para nosotros lo mejor sería una *sociedad cooperativa*. Se pagan menos *impuestos*, ¿verdad?

Diego Reyes: Me temo que en su caso, puesto que se trata de una empresa de importación - exportación, es un poco difícil. Las sociedades cooperativas realizan cualquier actividad económico - social para la mutua y equitativa ayuda entre sus miembros.

Sr. Arias: Bueno, quizás se podría solucionar de algún modo.... En fin, muchas gracias por su ayuda, sr. Reyes.

Diego Reyes: Muy amable. Ha sido un placer. La srta. García les indicará mis *honorarios*. Espero verlos pronto otra vez.

Sr. Smith: Perdone, ¿podría explicarme qué son los honorarios?

Diego Reyes: Ejem.... Sí, bien ....

VOCABULARIO

A

Acción:
Parte alícuota del capital de una sociedad mercantil.

Asesor de empresas:
Persona que en el campo de la empresa aconseja o ilustra con su dictamen a otro.

B

Bolsa:
Lugar público de contratación regulado y supervisado por la Administración, y donde se lleva a cabo la compraventa de valores, bienes.....

C

Capital:
Valor de las propiedades de una persona o empresa.

Capital social:
Capital aportado por los accionistas para constituir el patrimonio social que les otorga sus derechos sociales.

Consejo de Administración:
Órgano colegiado que dirige la marcha de una empresa supervisando y guiando la actuación de la dirección.

E

Exportación:
Venta y salida de bienes de un país hacia otro, a través de la frontera aduanera.

H

Honorarios:
Retribución de los profesionales liberales.

I

Importación:
Compra y entrada de bienes en un país procedente de otro, a través de la frontera aduanera.

Impuesto:
Ingreso público creado por Ley y de cumplimiento obligatorio por parte de los sujetos pasivos contemplados por la misma.

J

Junta General de Accionistas:
Órgano soberano de una sociedad anónima donde se toman las decisiones más relevantes de la sociedad.

M

Montar un negocio:
Crear y empezar un negocio.

P

Participación:
Cada una de las partes en que se divide el capital de una sociedad de responsabilidad limitada.

Patrimonio:
Conjunto de bienes y derechos pertenecientes a una persona una vez deducidas sus deudas y obligaciones.

Q

Quiebra:
Estado legal que hace perder al empresario la disposición y administración de sus bienes, restringe su capacidad y le inhabilita para el ejercicio del comercio en tanto no sea rehabilitado.

S

Sociedad anónima:
Sociedad de carácter mercantil en la que el capital está dividido en acciones e integrado por las aportaciones de los socios, que no responden con su patrimonio personal de las deudas de la sociedad.

Sociedad comanditaria:
Sociedad mercantil en la que una o varias personas aportan un capital determinado al fondo común, a la espera de los resultados de las operaciones sociales dirigidas de manera exclusiva por otras en nombre colectivo.

Sociedad cooperativa:
Sociedad que sometiéndose a los principios y disposiciones de la Ley General de Cooperativas realiza, en régimen de empresa común, cualquier actividad económico - social para la mutua y equitativa ayuda entre sus miembros.

Sociedad de responsabilidad limitada:
Sociedad mercantil formada por un número reducido de socios, cuyo capital se encuentra dividido en participaciones iguales, acumulables e indivisibles, y que bajo el principio de la responsabilidad de los socios, limitada a la cuantía de su aportación, se dedica a la realización de actividades de tipo mercantil.

Socio colectivo:
Componente de una sociedad colectiva. Responde personal, ilimitada y solidariamente de las operaciones de la sociedad.

Socio comanditario:
Componente de una sociedad comanditaria. Su responsablidad se limita al capital que aporte o se obligue a aportar.

Socio mercantil:
Persona que, en asociación con otra u otras personas, constituye una sociedad mercantil con fines de lucro, participando en las pérdidas y beneficios.

OBSE**R**VE

Verá usted,	nosotros querríamos montar un negocio.
Mire usted,	nosotros no sabemos qué hacer.
	así se pagan menos impuestos.

Función: Para introducir una explicación.

● ● ● ● ● ● ● ●

A menudo	cotizan en bolsa.
Con frecuencia	visitan la fábrica.
	encuentran a sus amigos.

Función: Para indicar la repetición de un hecho.

● ● ● ● ● ● ● ●

Me temo que, en su caso,	es un poco difícil.
	resulta imposible.
	no es aconsejable.

Función: Para indicar una dificultad.

● ● ● ● ● ● ● ●

¿Podría usted explicarme esto?
¿Puede usted ayudarme?
¿Quiere venir un momento?

Desde luego

Naturalmente

Por supuesto

Función: Para indicar conformidad.

● ● ● ● ● ● ● ●

Quizás	se podría solucionar.
Tal vez	sería conveniente tomar una decisión ahora mismo.
	podríamos discutir sobre el tema.

Función: Para expresar duda.

● ● ● ● ● ● ● ●

En fin,	muchas gracias.
	lo pensaré.
	si no hay otra solución.

Función: Para indicar conclusión.

RECUE**R**DE

Verbo "ser" ¿Cuándo se usa? ¿Recuerda?
1. Nacionalidad: *Soy español.*
2. Profesión: *Soy ingeniero.*
3. Religión: *Soy católico.*
4. Cualidad: *Soy introvertido.*
5. Origen, procedencia: *Soy de Barcelona.*
6. Posesión, pertenencia: *Esta revista es del señor García.*
7. Voz pasiva: *El contrato fue firmado por el director.*

Verbo "estar" ¿Cuando se usa? ¿Recuerda?
1. Situación: *París está en Francia. Estoy en la fábrica.*
2. Posición: *Estoy de pie.*
3. Estado físico o anímico: *Estoy contento.*
4. Presente continuo: *Estoy leyendo el informe.*

MANOS A LA OBRA

¿SER O ESTAR? ÉSA ES LA CUESTIÓN

Introduzca ser o estar según convenga.

1. La sede social .... en la calle París 127.

2. El Consejo de Administración .... formado principalmente por los mayores accionistas de la empresa.

3. No te preocupes por Luis Gómez, ... una persona muy capaz.

4. Señores, lamento mucho tener que informarles de que la empresa .... pasando momentos muy difíciles.

5. El ministro de economía ha declarado que la coyuntura económica actual .... bastante esperanzadora.

6. ¿Los señores delegados? Sí, en estos momentos .... reunidos en la sala de juntas.

7. Hierbas S.A. creada en 1.936 por Mariano Castro.
Actualmente .... una de las empresas con más futuro de la región.

8. Esta sociedad ha quebrado por no .... en buenas manos.

9. Los miembros del consejo .... nombrados por la Junta General.

10. Pueden ustedes revisar el informe anual, ... con el resto de los documentos.

¿**ES** USTED RESPONSABLE? ¿**ESTÁ** USTED CAPACITADO?

De los adjetivos siguientes separe usted los que se utilizan preferentemente con "ser" y los que se utilizan exclusivamente con "estar".

ambicioso	enfermo	observador
astuto	eufórico	original
atrevido	expresivo	preparado
calculador	feliz	responsable
cansado	fiel	satisfecho
capacitado	hábil	sencillo
constante	honrado	sincero
contento	impulsivo	tímido
chismoso	mentiroso	valiente
desanimado	obediente	

MANOS A LA OBRA

 ¿CON QUÉ ADJETIVOS CALIFICARÍA A SU EMPRESARIO IDEAL?

tolerante	comprensivo	infatigable
cascarrabias	huraño	cordial
quisquilloso	afable	tenaz
sociable	sincero	audaz
divertido	trabajador	luchador
chismoso	insistente	enérgico
competente	ordinario	responsable
puntual	capaz	contumaz
ofensivo		

 EXPRESIONES MÁS USUALES CON EL VERBO "SER"

a no ser que	*por si acaso*
por si fuera poco	*además*
es de desear	*si es posible*
es de esperar	*forzosamente*
es de suponer	*excepto que*
a poder ser	*si no fuera por*
sea como sea	
de no ser por	
no sea que	

Sustituya las marcadas en negrita por expresiones equivalentes de la columna de la derecha.

 EXPRESIONES MÁS USUALES CON EL VERBO "ESTAR"

está visto que	*no tener duda*
estar a punto de	*ser eficiente*
estar seguro	*conocer los hechos*
estar de acuerdo	*tener suerte*
estar de viaje	*tener la misma*
estar al corriente de	*opinión*
estar en todo	*es evidente*
estar de enhorabuena	
estar decidido a.	

Relacione las marcadas en negrita con expresiones equivalentes de la columna de la derecha.

MANOS A LA OBRA

Ordene el diálogo siguiente y subraye todas las expresiones utilizadas con los verbos "Ser" y "Estar".

José: 1. a) Está visto que hoy no se puede trabajar aquí; en mi mesa hay un lío de papeles increíble. Estoy a punto de tirarlos todos y empezar de cero.

Pedro: b) Creo que está al teléfono.

Pedro: c) Estoy de acuerdo. Ahora mismo llamaré a una agencia.

José: d) Estoy decidido a buscarme una buena secretaria que conozca bien su trabajo y no me haga perder el tiempo con todos estos informes inútiles. De no ser por mi buen carácter, ya habría despedido a María hace mucho tiempo. Estoy seguro de que cualquier otra secretaria sería mejor y más eficiente que ella. ¡Ah! por cierto, ¿dónde está?.

Pedro: e) Creo que esto último no lo diré, no sea que piensen que eres un jefe poco serio.

Pedro: f) ¡Hombre, no te pongas así! no tires todos los papeles, no sea que luego los necesites y nos tengas a todos locos buscando la información que te falta.

José: g) ¡Ah, como siempre! se pasa horas al teléfono y por si fuera poco continuamente está enferma. En fin, que no me sirve.

José: h) Oye, sobre todo insiste en que debe saber inglés, ser responsable, metódica, ordenada y con iniciativa, y ... a poder ser que sea joven y tenga ojos azules.

José: i) Podemos poner un anuncio en el periódico ¿Qué te parece?.

Pedro: j) Chico, cálmate. Ya buscaremos otra y es de esperar que tengamos más suerte.

José: 11. k) Bueno, sea como sea necesito una lo antes posible. Hoy mismo voy a decirle a María que queda despedida.¡Hasta luego Pedro! y gracias por tu ayuda.

MANOS A LA OBRA

 UN DÍA EN LA VIDA DE MANUEL SERRA, EMPRESARIO FUNDADOR DE TODOPAPEL

Ponga los verbos entre paréntesis en la forma correcta del presente.

Mis días (sucederse) ....1........... con bastante monotonía, aunque siempre (haber) ....2........... elementos nuevos con los que no se (poder) ....3.... contar. Un día normal (ser) ....4....... como (seguir) ....5.......: (levantarse) ....6........... muy temprano porque últimamente (dormir) .....7....... poco, (desayunar) ....8....... mientras (leer) ....9.........., por lo menos, dos periódicos. Por supuesto, (poner) .....10...... especial atención a todo lo referente a economía.

A continuación (coger) .....11..... el coche y (ir) ....12........ a la nueva oficina, (saludar) .....13..... a los empleados con los que (cruzarse) ....14.... y (conectar) .....15.... el interfono que (haber) ....16..... en mi mesa. Mi secretaria me (poner) .....17..... al día de todo lo que (tener) .....18.... que hacer.

Normalmente (reunirse) ......19...... con los cargos directivos o delegados sobre las once y (discutir) .....20.... los temas de más actualidad. También (haber) ....21....... documentos que firmar y no (pasar) ......22....... un día sin tener que entrevistar a alguien.

(Seguir) ......23..... muy de cerca la evolución de la Bolsa, aunque no (ser) ......24..... una persona que (arriesgarse) ......25......... mucho.

Esta última época (delegar) ....26....... mucho trabajo en mi hija. Parece ser que a ella le (gustar) ....27............ y (ser) ......28........ un alivio poder compartir la responsabilidad con alguien.

MANOS A LA OBRA

LO QUE ES PRECISO SABER DE LOS CARGOS DIRECTIVOS

Asiste al director general en las funciones generales o restringidas que éste le delega.	**7**

PRODUCTOR MANAGER SENIOR

JEFE DE VENTAS

8	Técnico en informática que simultanea la actividad de análisis con la de programación.

Supervisa el trabajo de los operarios.	**1**

DIRECTOR DE PERSONAL

10	Supervisor de los vendedores.

DIRECTOR GENERAL

Es el responsable máximo de los objetivos, políticas y programas de *marketing y ventas. En ocasiones sustituye al director comercial.	**3**

DIRECTOR DE MARKETING

DIRECTOR DE PRODUCCIÓN

6	Dirige todas las actividades de una división, en el caso de que la empresa esté así estructurada: producción, ventas, etc. Por consiguiente, puede haber varios directores generales.

Ejecutivo de primer nivel que dirige y supervisa todas las actividades de la empresa. Define los objetivos y las políticas generales.	**11**

DIRECTOR GENERAL DE DIVISIÓN

DIRECTOR FINANCIERO

2	Es el responsable del "marketing" de un producto o líneas de productos teniendo a su cargo los estudios de viabilidad, desarrollo, lanzamiento....

Dirige y coordina los procesos productivos.	**12**

ANALISTA - PROGRAMADOR

Dirige y supervisa las áreas de finanzas y administración. Prepara los planes de inversión y presupuestos.	**9**

JEFE DE PRODUCCIÓN

ADJUNTO AL DIRECTOR GENERAL

5	Planifica y dirige las políticas y procedimientos de contratación y remuneración del personal y del desarrollo de recursos humanos. Es también responsable de los programas de higiene y seguridad en el trabajo, de las relaciones laborales y de los asuntos sociales.

JEFE DE EXPLOTACIÓN

Es el responsable del funcionamiento de los equipos de informática	**4**

Una cada cargo con su función y luego trate de explicar con sus propias palabras el cometido de cada una de estas personas.

* marketing: es decir, "mercadotecnía".

EN UN RESTAURANTE EN EL CENTRO DE LA CIUDAD

Escriba en los espacios en blanco la forma adecuada del verbo "ser" o "estar".

El señor Arias y el señor Smith llegan al restaurante "La Langosta" donde habían quedado con sus esposas.

Sr. Arias:	*¡Buenas noches! Teníamos una mesa reservada para las 9h.*
Camarero:	*¿A nombre de quién?*
Sr. Arias:	*Señor Arias.*
Camarero:	*Sí, señor .....1....... aquella que ...2.... al lado de la ventana. Pasen por aquí.*
Sr. Smith:	*(dirigiéndose al señor Arias)¿......3..... puntual tu mujer?*
Sr. Arias:	*Suele ...4... lo ¿y la tuya?*
Sr. Smith:	*Por supuesto, en nuestro país siempre lo ...5.... ¡Ah, mira! aquí ...6....*

Las señoras Arias y Smith llegan al restaurante, saludan a sus maridos y empiezan a mirar la carta que el camarero acaba de entregarles.

Sra. Arias:	*¿Qué vas a pedir, Linda?*
Sra. Smith:	*Tomaría calamares en su tinta, pero es que .....7....... a dieta.*
Sra. Arias:	*Pero, mujer, si ....8...... delgadísima.*
Sr. Smith:	*.......9..... completamente de acuerdo contigo, Carmen, pero ella siempre quiere ....10...... a la moda.* *Yo voy a pedir una zarzuela.*
Sr. Arias:	*Yo me apunto, y mientras esperamos podemos pedir unos pescaditos fritos.*
Sra. Arias:	*La verdad ...11... que lo de la zarzuela me tienta bastante, pero voy a pedir una langosta con mahonesa ¿Te animas, Linda?*
Sra. Smith:	*No, gracias, creo que......12...... mejor que tome una ensalada.*
Sra. Arias:	*Bueno, contadnos vosotros cómo os ha ido la entrevista con el asesor de empresas.*

Bla Bla Bla.

ACTIVIDADES

1. Ha decidido usted invertir comprando algunas acciones.
Sabe que la empresa A y la B, ambas fabricantes de plumas y bolígrafos, van a hacer una ampliación de capital. Estudie la situación de las dos empresas y decídase por comprar acciones de una u otra. Argumente el porqué de su decisión.

EMPRESA A	EMPRESA B
CUOTA DE MERCADO 40%	CUOTA DE MERCADO 43%
PRODUCCIÓN 200 MILLONES UNIDADES	PRODUCCIÓN 350 MILLONES UNIDADES
FACTURACIÓN 10.000 MILLONES	FACTURACIÓN 13.000 MILLONES
"*CASHFLOW" 520 MILLONES	"CASHFLOW" 498 MILLONES
INVESTIGACIÓN 78 MILLONES	INVESTIGACIÓN 53 MILLONES
PLANTILLA 700 EMPLEADOS	PLANTILLA 815 EMPLEADOS

2. Trabaja usted en una consultoría. Le han pedido su ayuda como profesional para solucionar los problemas por los que atraviesa una empresa. ¿Qué es lo primero que estudiaría?

3. **Debate**: ¿multinacional o nacional?

* es decir, "liquidez", "efectivo"

Cegasa tiene pilas para rato

El País Vasco es una de las zonas de mayor concentración empresarial de España y tiene un peso específico importante en los sectores como la siderurgia o la máquina - herramienta dentro del contexto nacional. Sin embargo, en Euskadi hay un buen número de empresas de otras ramas, de las cuales, en muchas ocasiones, se desconoce su origen e historia. Celaya, Emparanza y Galdós, (Cegasa), una de las primeras fabricantes de pilas de nuestro país, son un buen ejemplo de ello. Esta empresa detenta en la actualidad una cuota del mercado español de las pilas de aproximadamente el 45% por delante de otras sociedades, como Tudor - que tiene una cuota del 35% - o Duracell, según los datos proporcionados por la oficina vasca. La producción de Cegasa se eleva a unos 200 millones de pesetas al año. A pesar de su buena producción, la compañía está sufriendo la gran competencia de las grandes multinacionales del sector, por un lado, y la voracidad de las firmas distribuidoras por el otro. En este sentido, el presidente y director general de Cegasa, Juan Celaya Letamundi, explica que cada vez resulta más difícil mantenerse como número uno.

El poder de la distribución.

Las multinacionales de la distribución tienen cada día mayor peso y exprimen a los industriales -dice Celaya-, y más, si cabe, cuando el producto que se fabrica es un bien de consumo masivo como el nuestro. A esta dificultad se añade el desembarco en nuestro país de los grandes fabricantes de pilas multinacionales.- "especialmente los norteamericanos", apunta Celaya- que con la compra de empresas consiguen comer poco a poco una parte del mercado. Estas multinacionales además, poseen un potencial financiero que les permite trabajar con márgenes más reducidos y ofrecèr, en consecuencia, unas condiciones mejores a los distribuidores.

Las condiciones apuntadas se plasman en las cuentas de resultados de Cegasa durante los últimos años. Así, pese a haber incrementado la cifra de facturación en los últimos años de manera apreciable, ha visto reducido su"cashflow" (beneficios más previsiones y amortizaciones). Cegasa registró una facturación de 6.925 millones en 1.987, de 7.524 millones al año siguiente y de 8.317 millones en el pasado ejercicio. Los recursos generados por la compañía vasca por su parte, bajaron de 725 millones en el 87 a 677 millones en el 88, para recuperarse en el último ejercicio hasta los 702 millones.

En el presente año, la tendencia de crecimiento en las ventas se mantiene, pues la firma presidida por Juan Celaya prevé cerrar sus libros con una cifra situada entre 9.500 y 10.000 millones de pesetas. Sin embargo, el "cashflow" va a sufrir un nuevo recorte, descendiendo casi un 22% respecto a 1.989 y colocándose en 550 millones de pesetas.

José Antonio Aguirre, director de administración y financiero de la empresa vasca, explica esta pérdida relativa "como un sacrificio en los márgenes, que tenemos que soportar para mantener nuestra cuota de mercado".

Juan Celaya tomó las riendas de Cegasa en el año 1.959, cuando la firma llevaba 15 años en funcionamiento. En realidad, el origen de Cegasa data de 1.920, año en el que el padre del actual presidente de la compañía y un primo pusieron en funcionamiento una pequeña fábrica para montar paraguas. En 1.934, decidieron cambiar dicha actividad por la fabricación de pilas, para lo que contaron con los conocimientos de un tercer primo llegado de Chile .

Los tres primos - miembros del PNV- se marcharon del país por motivos políticos el 20 de noviembre de 1.936. Siete años después - periodo en que la fábrica fue requisada por el gobierno franquista, el cual mandó a Tudor que se encargara de su explotación - retomaron la propiedad y dirección de la empresa. Ésta pasó de ser una sociedad colectiva a la forma de sociedad limitada, primero, y anónima, después. El capital se distribuyó entre las familias Celaya, Emparanza y Galdós a partes iguales, porcentaje que unos años más tarde variaron. Así, los Celaya y los Emparanza tienen hoy el 37,5% cada una, mientras que la familia Galdós tiene el 25 restante.

Al mismo tiempo que lucha por mantener su liderazgo en el mercado español, Cegasa inició hace unos años una política de diversificación de mercados y productos. En la actualidad, posee sendas filiales en Francia (Garoa, en la que posee un 95%) y en Portugal (100% de Cegasa Comercial de Pilas Limitada).

Las exportaciones representan en conjunto el 20% de su facturación total, y de ellas el 40% es absorbido por el mercado francés. Además "estamos presentes en otros países como Alemania, Gran Bretaña, Holanda, Italia, Bélgica o Dinamarca" añade Aguirre.

Asimismo, y dentro de la diversificación de los productos, la empresa vasca también fabrica linternas y distribuye artículos como bombillas, papel de aluminio, maquinillas de afeitar, bolígrafos y guantes de goma, entre otros. El objetivo de esta ampliación de líneas de producto es, según Celaya, aprovechar al máximo la red de distribución de la compañía y reducir su coste. Dentro de esta estrategia, Cegasa adquiere hace unos años la firma de productos hortofrutículas S.A. Ulecia de Logroño, dedicada a la elaboración de espárragos, champiñones, frutas en almíbar y legumbres al natural y encurtidos, con una facturación superior a los 1.000 millones de pesetas.

Diversificación

A esta empresa se ha unido otra en Portugal, Cegasa Agrícola Ecoserveira, dedicada también a la explotación agrícola. La empresa posee, asimismo, el 50% de Saft Ibérica S.A. - dedica -

(°)

da a la fabricación de acumuladores y aparatos de alumbrado en general, que en 1.989 facturó 3.500 millones - y de Amgel Ibérica S.A. dedicada a la producción de elementos alcalinos.

Cegasa centraliza su actividad en Vitoria, donde dispone de 45.000 metros cuadrados cubiertos de instalaciones. En esta unidad productiva lleva a cabo la producción de las series de pilas de gran consumo. Además, la firma tiene una segunda unidad productiva en Oñate (Guipúzcoa), de 15.000 metros cuadrados, donde fabrica las pequeñas series, linternas, bióxido de manganesio electrolítico (materia prima para las pilas) y maquinaria para sus propias instalaciones.

La empresa, cuyos recursos propios (capital más reservas) se elevan a casi 5.300 millones, vende sus pilas con las marcas Cegasa y Júpiter.

Dispone de una red de doce delegaciones y cuenta con una plantilla de 712 personas. Cada año, según Aguirre, destina entre 300 y 400 millones a inversiones en inmovilizado, así como un 2,2 % de su cifra de negocio, aproximadamente, a investigación y desarrollo de nuevos productos.

El futuro de Cegasa se presenta con un objetivo claro: mantenerse al frente del negocio de las pilas en España. Las recetas aplicadas para lograrlo son la reducción de márgenes - aunque ello disminuya su resultado operativo -, la apertura a nuevos mercados y, de manera especial, la diversificación de productos.

La Vanguardia

Complete el cuadro con los datos que aparecen en el artículo anterior.

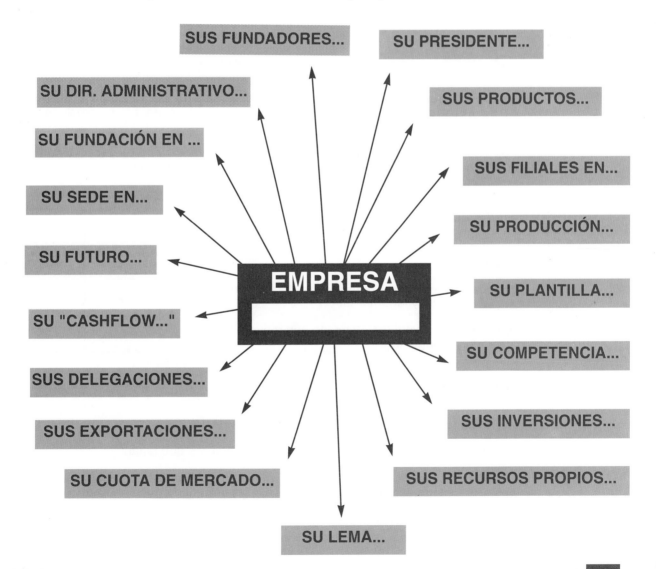

COMPRENSIÓN AUDITIVA

EL SEÑOR ELOSÚA, DIRECTOR GENERAL DEL GRUPO ELOSÚA, CONCEDIÓ UNA ENTREVISTA AL PERIÓDICO "EL PAIS"

1

Señor Elosúa, ¿podría decirnos cómo se llevó a cabo la adquisición de la empresa Carbonell?

- Escuche la primera pregunta y la respuesta dada por el señor Elosúa. A continuación escriba un resumen de la contestación ayudándose de las palabras siguientes.

capital - sector - apoyar - crédito - adquisición - empresa.

2

¿Cómo dirigió Elosúa la operación?

- Escuche la segunda pregunta y la respuesta dada. A continuación comente brevemente la frase *"la mejor operación que Elosúa ha hecho en su historia"* indicando los motivos que conducen al director de la empresa a expresarse de forma tan satisfactoria.

3

En alguna ocasión usted ha dicho que el aceite no era negocio y que había otras actividades más rentables, ¿significa que se ha considerado la posibilidad de cambiar de actividad?

- Escuche la tercera pregunta y la respuesta dada por el señor Elosúa. A continuación indique si las frases siguientes son verdaderas o falsas

	VERDADERO	FALSO
a) El aceite es el negocio más rentable del grupo.		
b) Con las legumbres se ha ganado más que con el aceite.		
c) España puede tener futuro en productos como aceite, aceituna y legumbres.		
d) Los fondos invertidos en aceite son mayores que los invertidos en legumbres.		

4

¿Cuál es la situación del grupo en política exterior?

- Escuche la última respuesta y complete las palabras que faltan.

Nuestra ...... exterior está relacionada con el .... de los tres productos mencionados. Por un lado, tenemos .... en México y Argentina que son para .... el .... local de producción, aunque también realicemos ....
En México ya somos la segunda .... y han crecido nuestras ventas un 50%.

RECURSOS HUMANOS

2

PLANIFICACIÓN

DIÁL**O**GO

Margarita Sánchez, *licenciada* en informática, tiene una *entrevista* con Manuel Esplugas, *jefe de personal* de Consultores A-X S.A.

M. Esplugas:	Pase y siéntese, por favor. Aquí tengo su *curriculum vitae*. A primera vista parece interesante. ¿Dice usted que tiene la *preparación* suficiente?
M. Sánchez:	Trabajé como programadora en la *filial* IBM de Valencia desde 1.985 a 1.987; después volví aquí, a Bilbao, donde hasta ahora he estado trabajando en un *proyecto de desarrollo*.
M. Esplugas:	Pero parece ser que no tiene *experiencia* de trabajo de consultoría.
M. Sánchez:	Tengo bastante. Trabajé para una consultoría mientras terminaba la *carrera*.
M. Esplugas:	Ya. Bien, como usted sabe ésta es una empresa que pertenece a la categoría *PYME*, tenemos una *plantilla* bastante reducida, pero se espera de todo el *personal* una actitud seria y positiva. Valoramos especialmente el entusiasmo y las nuevas ideas. Consultores A-X se creó en 1.978 y desde entonces hemos mantenido una curva ascendente. Eso se lo digo por si acepta el *puesto* que le proponemos.
M. Sánchez:	El *anuncio* hablaba de ayudante de proyecto.
M. Esplugas:	Exactamente. Su trabajo consiste en ayudar a dirigir y organizar el trabajo de nuestro equipo de técnicos e informáticos. Nosotros pensamos en un primer *contrato de prueba* de seis meses.
M. Sánchez:	Bien. Actualmente tengo un *sueldo* superior a tres millones anuales¿Cuánto pensaban ofrecer ustedes?
M. Esplugas:	Los primeros seis meses tres millones y medio, después se puede llegar a un acuerdo. Si le parece bien, podemos ir a la *oficina de administración* donde le informarán de los detalles *burocráticos*.
M. Sánchez:	Encantada.

• • • • • • • • • • • **,**

Despacho de Arturo Díaz, responsable de administración.

A. Díaz:	El *salario anual bruto* es de tres millones y medio que dividimos en catorce *pagas mensuales*. Hay dos *pagas dobles*, una en diciembre y otra en junio.
M. Sánchez:	¿Estaré en *nómina*?
A. Díaz:	Por supuesto. Su *contrato* es por *cuenta ajena*.
M. Sánchez:	¿Cuál es el *horario laboral*?
A. Díaz:	De 9 a 14 y de 16 a 18.30. Gracias al último *convenio* hemos podido reducir un poco el horario de tarde. Por cierto, el próximo mes hay *elecciones* al *comité de empresa*. Queremos cambiar el sistema de *vacaciones*, pero de momento las de verano son para todo el mundo durante el mes de agosto.
M. Sánchez:	¿Y las *horas extraordinarias*?
A. Díaz:	Se pagan un 50% más que las ordinarias.
M. Sánchez:	Parece perfecto.
A. Díaz:	Pues, entonces, si quiere darme su nombre y *NIF*, por favor... .

VOCABULARIO

A

Anuncio:
Comunicación publicitaria pagada por el anunciante para hacer llegar un mensaje a su público objetivo por cualquier medio de comunicación.

B

Burocráticos:
Relativo a la burocracia.

C

Carrera:
Estudios cursados en una universidad.

Comité de empresa:
Órgano compuesto por los representantes elegidos por los trabajadores de una empresa para defender sus intereses.

Contrato de prueba:
Contrato temporal previo al definitivo.

Contrato por cuenta ajena:
Acuerdo por el que una persona se compromete a trabajar por cuenta de otro a cambio de una remuneración.

Convenio:
Acuerdo entre dos o más partes sobre una misma cosa, con o sin el propósito de obligarse.

Curriculum vitae:
Descripción detallada de las actividades académicas o profesionales de una persona. Es más amplio y con fines más generales que un historial.

E

Elecciones:
Proceso por el cual, y mediante el voto de cada uno, se decide el o los representantes de un grupo determinado.

Entrevista:
Reunión, generalmente de dos personas, para intercambiar o para dar a conocer información, opinión o punto de vista.

Experiencia:
Especial conocimiento de una materia.

F

Filial:
Sociedad en la que más del 50% de su capital pertenece a otra sociedad o grupo de empresas.

H

Horario laboral:
Tiempo de inicio, desarrollo y finalización de la jornada laboral. Su determinación es una de las facultades del empresario.

Horas extraordinarias:
Tiempo de trabajo después de la jornada ordinaria legal o aprobada en convenio colectivo.

J

Jefe de personal:
Es el que planifica y dirige las políticas y procedimientos de contratación y remuneración del personal.

L

Licenciado:
Título que se obtiene al finalizar el segundo ciclo universitario.

N

NIF:
Acrónimo de número de identificación fiscal.

Nómina:
Relación de los trabajadores de una empresa con especificación de la retribución y otras gratificaciones.

O

Oficina de administración:
Lugar donde se gestiona lo necesario para cumplir con los requisitos legales.

P

Pagas dobles:
Remuneraciones extraordinarias que se perciben dos o tres veces al año.

Pagas mensuales:
Salario que se percibe cada mes.

Personal:
Conjunto de personas que trabajan en una empresa, fábrica u organismo.

Plantilla:
Conjunto de empleados de una empresa o centro.

Preparación:
Experiencia y educación de una persona.

Proyecto de desarrollo:
Plan cuyo objetivo es el incremento y progreso de una actividad concreta.

Puesto:
Función o posición que ocupa una persona en una organización.

PYME
Acrónimo de pequeña y mediana empresa.

S

Salario anual bruto:
Conjunto de percepciones económicas que reciben los empleados cada año y sin ninguna deducción.

Sueldo:
Salario. Retribución de un empleado.

V

Vacaciones:
Derecho del trabajador, derivado de la relación laboral consistente en España en la interrupción de su prestación durante un mínimo de 23 días naturales al año.

OBSE**R**VE

Como usted sabe,

ésta es una empresa que pertenece a la categoría PYME.

el concepto de recursos humanos se infiltró en todas las compañías norteamericanas durante los años 80.

el rendimiento de los empleados es mejor cuando se sienten comprometidos con su empresa.

Función: Para introducir una constatación.

● ● ● ● ● ● ● ● ●

Si le parece bien,

podemos ir a la oficina.

mañana hablaremos de nuevo.

puede empezar a trabajar el lunes próximo.

Función: Para pedir conformidad.

● ● ● ● ● ● ● ●

Por cierto,

el próximo mes hay elecciones.

mañana recibirá la información solicitada.

su horario será de 8h. a 14h.

¿conoce ya el horario?

Función: Para introducir una información o una pregunta.

● ● ● ● ● ● ● ● ●

De momento,

las vacaciones de verano son durante el mes de agosto.

no hay ningún cambio.

todo seguirá igual.

Función: Para indicar temporalidad presente.

● ● ● ● ● ● ● ● ●

A primera vista

parece interesante.

han sufrido un relativo estancamiento.

la evolución más favorable ha correspondido al cargo de director general.

Función: Para introducir una información de la que no se tiene seguridad.

● ● ● ● ● ● ● ● ●

Desde entonces

hemos mantenido una curva ascendente.

han entrado en una dinámica de rotación.

la economía española ha cambiado mucho.

Función: Para indicar un punto de partida en el pasado.

● ● ● ● ● ● ● ●

Parece ser que

no tiene experiencia.

el sustituto cobra más que su antecesor.

los ejecutivos están mejor remunerados en Madrid.

Función: Para introducir una información no comprobada.

● ● ● ● ● ● ● ●

RECUERDE

PASADO

Tiempos que utilizamos:

- Pretérito Perfecto.

Lo usamos para hablar de hechos terminados, dentro de un tiempo que no ha terminado.

Algunos casos:

> - Después volví aquí, a Bilbao, donde hasta ahora **he estado** trabajando en un proyecto de desarrollo.
> - Desde entonces, **hemos mantenido** una curva ascendente.

- Pretérito Indefinido.

Lo usamos para hablar de hechos terminados, dentro de un tiempo también terminado.

Algunos casos:

> - Consultores A-X **se creó** en 1.978.
> - **Trabajé** como programadora de 1.985 a 1.987.

- Pretérito Imperfecto.

Es un pasado descriptivo. Lo usamos para describir situaciones que tenían lugar en el pasado (aunque las mismas situaciones pueden continuar en el presente).

Algunos casos:

> - El anuncio **hablaba** de ayudante de proyecto.
> - ¿Cuánto **pensaban** ofrecer ustedes?

- Pretérito Pluscuamperfecto.

Lo usamos para hablar de hechos terminados dentro de un tiempo también terminado, y que es anterior a otro pasado más próximo.

Algunos casos:

> - Trabajó como programadora en la filial IBM de Valencia y antes **había trabajado** en la de Barcelona.

MANOS A LA OBRA

{ ● } **Complete los espacios en blanco con las siguientes locuciones que han aparecido en el diálogo.**

como usted sabe......

si le parece bien......

de momento.........

desde entonces...........

parece ser que...........

por cierto.............

a primera vista.........

Aunque,...........1..........., tiene usted un expediente académico inmejorable, ...2......, no podemos atender su oferta, ya que nosotros no solemos contratar a empleados sin experiencia. ....3.........., manejamos datos estrictamente confidenciales. Una vez tuvimos un problema, ...4....... a causa de la indiscreción de un empleado inexperto. ....5.......... hemos evitado este tipo de problemas.

De todos modos, ...6.............., podemos volver a entrevistarnos más adelante. Quizás entonces ya habrá adquirido la experiencia necesaria; ......7......., ahora recuerdo que Auditores y Cía. suelen facilitar *"stages", a recién licenciados en condiciones similares a la suya.

● ● ●

{ ● } EN LA OFICINA

Escriba el verbo que está entre paréntesis en la forma correcta del pasado.

● Pepe, ayer no te (ver) ....1....... en todo el día, ¿dónde te (meter) ....2.............?

● Es que no (venir) ....3........ a trabajar, (quedarme) ....4.... en casa porque (tener) ....5......... un fuerte dolor de cabeza.

● ¿Y (ir) ....6........ al médico?

● No, me (tomar) ....7........ una aspirina; (intentar) ....8........ estar tranquilo y no preocuparme de todos los líos que tengo ahora en mi trabajo.

● ¿ (Hablar) ......9........ ya con el director sobre tu aumento de sueldo?

● Sí, (hablar) ....10....... anteayer y creo que ésa (ser) ....11........ la causa de mi migraña, porque (nosotros) no (llegar) ....12.......... a un acuerdo. De todas formas me (decir) ....13........... que (él) (pensar) ....14.......... estudiar mi caso con más calma.

● Bueno, entonces no te preocupes porque seguro que procurará arreglarlo, ya sabes que te considera una pieza fundamental en el departamento.

● Eso espero, porque mis gastos van aumentando y ya no puedo hacerles frente.

● Tranquilo hombre, yo (tener).........15....... los mismos problemas que tú hace un año y todo (solucionarse)...........16.......... .

● En mi caso ya veremos.

* es decir; "periodos de prácticas"

● ● ●

MANOS A LA OBRA

MUJERES EMPRESARIAS

Después de cada intervención de la persona que le informa de un tema, elija usted su reacción posible entre las que le ofrecemos.

> ¿En qué periódico lo leiste?
>
> No lo sabía.
>
> Sí, es bastante lógico.
>
> Ni idea.
>
> Lo encuentro normal.
>
> ¿Cómo te has enterado?

- ¿Sabes que en Finlandia un 20% de las empresas son de mujeres?

- ....1................................

- Pues sí, lo leí ayer.

- ....2................................

- En Expansión. Y también comenta que el sector preferido por las mujeres a la hora de montar un negocio es el de servicios.

- ....3................................

- El principal factor que impulsa a una mujer a crear su propia empresa es la búsqueda de independencia.

- ....4................................

- Sin embargo, las empresarias de Nueva Zelanda, de Finlandia, de Austria, o de Noruega se dedican preferentemente a las actividades relacionadas con la pesca, la ganadería o la agricultura. ¿Lo sabías?

- ....5................................

MANOS A LA OBRA

 Escriba los verbos que éstan abajo en la forma correcta del Imperfecto o del Indefinido.

Ramón Areces, fundador e impulsor de El Corte Inglés.

En 1935, Ramón Areces ..1.. ya una idea perfectamente diseñada de lo que ..2.. hacer. Haber cambiado su apacible tierra asturiana por unos cuantos años de aprendizaje y de duro trabajo en un gran almacén cubano de La Habana, junto con una estancia en Estados Unidos, le había servido para conocer su verdadera vocación. Así que ese mismo año ..3.. un pequeño establecimiento en Madrid, entre las calles Rompelanzas, Preciados y Carmen, que ..4.. el curioso nombre de El Corte Inglés. Pero las circunstancias no ..5.. dispuestas a hacer más sencillo el siempre difícil comienzo. La Guerra Civil ..6.. que la aventura diera comienzo con normalidad, y la posguerra tampoco ..7.. un momento para cuajar un negocio. En cualquier caso, en 1940 Areces ..8.. un nuevo local y ..9.. a la calle Preciados, junto a la Puerta del Sol. Y allí se ubica hoy, después de múltiples ampliaciones, uno de sus centros comerciales más populares, el cual tiene poco que ver ya con aquella época de los años cuarenta, cuando ..10.. que vender lo que se ..11.. sin ninguna alternativa, y donde las dificultades de suministro y las peripecias necesarias para que sirvieran los fabricantes ..12.. otro obstáculo.

Pero, a pesar de todo, el negocio ..13.. adelante. En 1949, El Corte Inglés crea Industrias y Confecciones (Induyco) para hacer frente a las dificultades de suministro de prendas confeccionadas y para dar un estilo propio a sus propias confecciones. En 1962 da el gran salto al inaugurar el primer almacén de Barcelona, en la Plaza de Cataluña. Es el primer paso de una expansión que sigue en aumento.

Tener / estar / trasladarse / haber / ser / querer / salir / adquirir / comprar / recibir / impedir / ser / producir.

EN EL CAFÉ

Escriba los verbos que están entre paréntesis en la forma correcta del pasado.

Margarita Sánchez ha quedado con su madre en el café "Chirimiri" después de la entrevista.

Doña Concha: *¿Qué tal, qué tal? ¿Cómo (ir)* ....1......... *hija mía?*

Margarita: *Tranquila, mamá, todo (salir)* ....2......... *muy bien. Ya tengo el trabajo.*

Doña Concha: *¡Ay, qué peso me quitas de encima! Esta noche no (pegar)* .....3...... *ojo dándole vueltas al asunto.*

Margarita: *¡Qué exagerada eres! Ahora es normal cambiar de trabajo, ya no es como antes, que cuando una persona (encontrar)* ....4......... *un trabajo se (suponer)* ....5......... *que ya (ser)* ....6......... *para toda la vida.*

Doña Concha: *¡Y que lo digas! Tu padre (trabajar)* ....7.......... *toda su vida en los ferrocarriles y cuando (retirarse)* ....8......... *ya (ser)* ......9...... *jefe de estación.*

Margarita: *Ya lo sé, mamá, pero piensa en el tío Federico que (tener)* .....10..... *el valor de dejarlo todo para irse a América y cuando (regresar)* ......11....., *(estar)* ....12......... *forrado.*

Doña Concha: *Sí, pero (tener)* .....13..... *suerte porque cuando (llegar)* ....14.........a *Argentina y (abrir)* ....15.... *su primera panadería, no (haber)* ....16..... *mucha competencia, por eso (poder)* ....17...... *ir ampliando el negocio y (convertirse)* ....18.......... *en el propietario de una gran cadena pero, tal como están las cosas ahora, no sé, no sé...*

Margarita: *(dirigiéndose al camarero) Por favor, un café con leche bien caliente y una tila para mi madre.*

ACTIVIDADES

ACTIVIDADES

¿PODRÍA ÉL SER NUESTRO EMPLEADO? ¿PODRÍA USTED SER NUESTRO EMPLEADO?

Su nombre es Kanga Duta. Lleva muchos años defendiendo los derechos de su pueblo. Y los valores y la filosofía de sus antepasados. Una filosofía que nos enseña que todos los seres vivientes están unidos por conexiones invisibles. Y que el hombre debe aprender a verlas y entenderlas para evitar la destrucción del planeta.

Creemos que Kanga Duta debe permanecer con su pueblo. Pero que, por su forma de pensar, podría trabajar en Origin. Esperamos encontrar gente con talento, con una visión y una mentalidad similar para unirse a nosotros.

Buscamos personas con formación técnica superior y experiencia en el mundo de la información que conozcan los entornos IBM AS/40 y las metodologías de ingeniería del software. También buscamos ingenieros industriales con experiencia en el mundo de la automatización (CIM), que, además, conozcan los entornos UNIX, VMS, ORACLE, C, RdB y POWERHOUSE. Ofrecemos la posibilidad de trabajar en proyectos para las primeras empresas del país, incorporándose inmediatamente, con condiciones y sueldo a convenir, a una compañía internacional en rápido crecimiento.

Si usted responde a este perfil, llame a Joaquin Ritort (93/332 01 12) o escríbanos a:
ORIGIN SPAIN. S.A.
Gran Vía de les Corts Catalanes, 184, 5º. 3º.
ORIGIN

Origin. The human resource for software projects.

Una empresa con estilo diferente,

ya que en HEWLETT-PACKARD, los privilegios no forman parte de nuestra cultura. Esfuerzo individual y trabajo colectivo son los principios básicos de nuestra dinámica. Preferimos el "ser" al "parecer".
No pensamos que el valor de las personas se mida por su modelo de automóvil o su plaza reservada en el aparcamiento de la empresa.
En HEWLETT-PACKARD encontrarás muchas diferencias excepto ésas.

ECONOMISTA, ESADE, INGENIERO

Posees una Formación Superior (Ingeniero, Económicas o ESADE), eres un buen negociador y comunicador (valorándose conocimientos de inglés, así como conocimientos de PC a nivel de usuario), y deseas integrarte en una empresa como HEWLETT-PACKARD, en un Departamento estratégico para nuestro desarrollo.
Tu misión consistirá en la búsqueda, auditoría y sección de proveedores en el mercado nacional e internacional en función de criterios económicos y financieros, recibiendo apoyo de nuestro Departamento Técnico. Así mismo llevarás a cabo la gestión de los proveedores existentes y sus evaluaciones periódicas.
El crecimiento de nuestro centro de producción de Sant Cugat, implica una adaptación y una nueva estrategia para el Departamento de Compras, dentro del contexto del mercado único europeo, donde desarrollarás tus funciones y llevarás a cabo tu propio proyecto profesional a la par que el nuestro.
HEWLETT-PACKARD te ofrece el terreno tecnológico donde podrás desarrollarte profesionalmente y humanamente, el entorno donde podrás realizar una brillante carrera.

Envía C.V. y fotografía a:
HEWLETT-PACKARD Española, S.A.
Avda. Graells, 501.
(08190) Sant Cugat (Barcelona)
Indicando en el sobre la referencia 9123.

La diferencia que nos une

HEWLETT
PACKARD

CURRICULUM VITAE

APELLIDO 1º APELLIDO 2º Nombre

DIRECCIÓN ACTUAL:
Nombre calle, número, piso/puerta
C.P. Ciudad o Pueblo (Provincia)
País
número teléfono

DIRECCIÓN PERMANENTE:
Nombre calle, número, piso/puerta
C.P. Ciudad o Pueblo (Provincia)
País
número teléfono

DATOS PERSONALES: edad, nacionalidad, estado civil.

—————— **EDUCACIÓN** ——————

1.98_ - 1.99_
1.98_ - 1.98_
....

—————— **EXPERIENCIA** ——————

1.99_ - 1.99_
NOMBRE DE LA EMPRESA   CIUDAD. PAÍS
....

1.98_ - 1.98_
NOMBRE DE LA EMPRESA   ....
....

1.98_ - 1.98_
NOMBRE DE LA EMPRESA   ....
....

—————— **IDIOMAS** ——————

Lengua materna: ....
Habla y escribe:................
Comprende: ....

—————— **AFICIONES** ——————

ACTIVIDADES

1. Es usted el jefe de personal de una empresa de las que se anuncian en las páginas anteriores. Elija la empresa y prepare las preguntas que usted considere más adecuadas para entrevistar a los candidatos.

Está usted buscando trabajo. Lea los anuncios de la página anterior y escoja el que considere más interesante para usted:

> Escriba una carta adjuntando "curriculum vitae". (según modelo pág. 31)
>
> Usted ha sido citado para una entrevista con el jefe de personal. Prepárese.

Por parejas, simulen en clase la entrevista que tendrá lugar entre el jefe de personal y el solicitante; pónganse de acuerdo y escojan la misma empresa.

2. Valoren individualmente en positivas o negativas las siguientes palabras:

vacío	diferente	original	perdón
cumbre	espíritu	riesgo	audacia
nido	duda	frontera	célula familiar
sacerdote	ironía	ambición	individualismo
nacimiento	caritativo	crítico	

Discutan en grupos los resultados de la valoración individual.

Comparen su perfil con el del ejecutivo español, a partir de este artículo.

EL PAÍS

La trampa de las palabras

J.F.B., Madrid

Los ejecutivos españoles han caído en la trampa de las palabras. Por primera vez se les ha sometido a un análisis semiométrico (medida del sentido de los vocablos), y los resultados han sido los siguientes: se diferencian del resto de la población por su acentuado sentido del riesgo y su espíritu crítico, pero son individualistas y rechazan todo aquello que suponga entrega a los demás.

El análisis semiométrico se basa, según afirman los directivos de Sofemasa, que lo usan de forma exclusiva, en la utilización de 66 palabras "unívocas, sensibles, estables, universales y sin fronteras". Tienen una vida autónoma, y cada una de ellas recibe una carga afectiva de las palabras, su sentido, función de lo que la palabra evoca. La semiometría mide esa carga afectiva de forma individual por cada ejecutivo. Se les atribuye un valor en definitiva.

Como consecuencia de este estudio, realizado a partir de los cuestionarios aplicados a una muestra representativa, los ejecutivos españoles han valorado como positivas las siguientes palabras: audacia, ambición, cumbre, frontera, vacío, riesgo, duda, ironía, espíritu crítico, original, diferente e individualismo. Y han considerado negativas: caritativo, perdón, sacerdote, nido, nacimiento y célula familiar.

---

3. Debate: ¿En qué medida debe valorarse el factor humano, si se trata al personal como otro recurso de la empresa?

Trabajar a gusto
Mejorar el clima laboral hace a las empresas más competitivas

"En la nueva empresa me pagan lo mismo que en la anterior, pero el ambiente de trabajo es mucho mejor". Esta aseveración no es raro oírla a algunas personas que han cambiado de compañía por no haber encontrado un clima de trabajo adecuado. Según los especialistas en recursos humanos, en España el clima de trabajo, junto con la seguridad en el puesto laboral, es el factor que más se valora de un empleo. Un clima de trabajo inadecuado desmotiva a la plantilla, crea tensiones y afecta negativamente a la productividad y a la calidad del producto. Por ello, en los últimos años firmas especializadas en gestión de recursos humanos ofrecen un plan estratégico para perfeccionar el clima de trabajo de las empresas y hacerlas más competitivas.

"Por clima de trabajo debe entenderse el grado de entendimiento y compenetración que el personal tiene con los objetivos de la empresa, la dedicación y entusiasmo con el que acometen sus tareas y el nivel de innovación que aporta a la operativa empresarial", explica Juan Zabala, gerente de soporte técnico de Sema Group, una de las firmas especializadas en recursos humanos que más ha trabajado en este campo.

"El clima de trabajo - añade Zabala - es un concepto novedoso que hay que situar entre la cultura empresarial y el clima laboral, entendiendo a este último como el capítulo de relaciones estrictamente contractuales entre los trabajadores y la compañía".

Un clima de trabajo adecuado es aquel que es coherente con la actividad que está desarrollando la compañía en general o bien cada una de sus áreas. Zabala pone el ejemplo de que una empresa de publicidad no ha de tener el mismo clima de trabajo que un laboratorio farmacéutico. "En el primer caso - señala - existe una actividad puramente creativa que requiere flexibilidad de horarios, ambiente distendido y dosis de tensión en determinados momentos para acabar un proyecto de un día para otro. En un laboratorio, en cambio, se necesita un clima que favorezca la precisión y la tranquilidad. De la misma manera - agrega Zabala - dentro de una misma empresa no ha de haber un mismo clima en el departamento de marketing que en el financiero".

El plan estratégico para mejorar el clima de trabajo pasa por un estudio de las características generales de la empresa - tamaño, actividad, sector y tipo de propiedad - , así como de la atmósfera de trabajo que se respira en cada uno de sus departamentos, medida a través del absentismo, movilidad laboral, escalas de remuneración, sistemas de motivación, estilo de dirección, comunicación entre las personas, horarios y factores como climatización, iluminación o comodidad.

Junto con la dirección se elabora un plan para modificar los factores que propician un clima de trabajo negativo. El plan se explica a los empleados, se aplica y después se hace un seguimiento para comprobar los resultados. Cambiar el clima de trabajo a veces requiere entre dos y tres años. "Hay que tener en cuenta - apunta Zabala - que no todos los empleados perciben por igual el plan de modificación que intentamos aplicar y por eso lleva tiempo lograr un buen resultado global en toda la empresa".

Un plan para cambiar el clima de trabajo cuesta entre seis y treinta millones, según las características de la compañía. "Muchas empresas - dice Zabala - intentan modificar solas el clima de trabajo, pero no siempre lo logran por falta de rigor. Y aquí los errores se pagan: cuando das una cosa y la quitas después porque ves que no la necesita la plantilla, provocas un conflicto".

La Vanguardia

1. ¿Cuáles son los factores que más se valoran de un empleo?
2. ¿A qué llamamos "un clima de trabajo adecuado"?
3. ¿En los diferentes sectores empresariales se ha de seguir el mismo clima de trabajo?
4. ¿Qué estudios deben realizarse para obtener una mejora en el ambiente de trabajo?
5. ¿La misma empresa podría cambiar el clima de trabajo que se respira en ella?

COMPRENSIÓN AUDITIVA

EL SEÑOR JULIO LÓPEZ - AMO, DIRECTOR GENERAL DE LA FIRMA DE "HEAD - HUNTING" TRANSEARCH, CONCEDIÓ UNA ENTREVISTA AL PERIÓDICO "LA VANGUARDIA"

1

Sr. López - Amo, ¿qué tipo de empresas son las que solicitan la colaboración de una firma de cazatalentos?

- Escuche la primera pregunta formulada al Sr. López - Amo y escriba lo que crea puede ser su contestación.

2

Algunas compañías consideran caros los servicios de los "head - hunters", ¿es eso cierto?

- Escuche la segunda pregunta y la respuesta dada por el señor López - Amo. A continuación escriba un resumen de la contestación, ayudándose de las palabras siguientes.

       búsqueda / requerir / rigor / elegir / rentable.

3

¿Qué es lo primero que hace un profesional de "head - hunting" cuando una empresa le pide que busque a un alto ejecutivo?

- Escuche la tercera pregunta y la respuesta dada. A continuación indique si las frases siguientes son verdaderas o falsas.

	VERDADERO	FALSO
a) Lo primero que hace es buscar en los ficheros.		
b) Es necesario saber qué tipo de producto fabrica la empresa.		
c) Debe enviar a uno de sus empleados a otra empresa que sea competencia de la que le ha hecho la solicitud.		
d) Debe conocer la estrategia de la empresa que le ha pedido sus servicios.		

4

¿Cómo se indica el análisis del candidato elegido para tal o cual empresa?

- Escuche la última respuesta y complete la misma con las palabras que faltan.

Comienza con una serie de .... en profundidad para conocer a la persona desde dos ópticas: su .... profesional y sus .... humanas.
La siguiente .... consiste en solicitar .... del candidato en aquellas .... en las que anteriormente haya desempeñado su ...., a excepción, lógicamente, de aquellas en las que está trabajando. Los mismos .... suelen proporcionar al "head-hunter" una lista de personas que .... dar referencias de su trayectoria.

MARKETING
Y
PUBLICIDAD

3

Estudios
de
Merca

BALANC
DE VENT

DIÁLGO

Luis Fenosa, nuevo en el departamento comercial de la agencia de viajes AVENTURA, habla con la jefa del departamento, Teresa Campuzano.

Luis:	La verdad, Teresa, es que estoy preocupado por este asunto de la *feria*. Ya sabes que acabo de empezar y no sé si estoy preparado para hacerme cargo del *stand.
Teresa:	¿Y por qué no habrías de estarlo? De todas formas no olvides que la *publicidad*, el darse a conocer a los *clientes*, a los *consumidores*, es una parte fundamental para el buen funcionamiento de un negocio.
Luis:	¡Desde luego! Por cierto, he visto el vídeo que encargasteis a la *agencia de publicidad*. Creo que resultará un anuncio de televisión estupendo.
Teresa:	Me alegro de que te haya gustado, porque aunque el *coste* ha sido elevado, pienso que la utilización de los *medios de comunicación* en el campo de la publicidad es fundamental.
Luis:	Pues ya que hablamos de ello, también me ha encantado el *cómic* sobre los " viajes especiales ", que apareció en el *periódico* del domingo. Había una *viñeta* en concreto que era divertidísima.
Teresa:	También saldrá en *revistas* y *semanarios* y lo hemos incluído en el *folleto* que vamos a repartir en la feria. Lo cierto es que Ramón, nuestro dibujante, tiene un sentido del humor fuera de serie.
Luis:	Volviendo al tema de la feria en Madrid, además de folletos, ¿de qué disponemos?
Teresa:	Hay *catálogos* con el precio de todos los viajes de este año, aunque ya sabes que esto es relativo, se pueden hacer *ofertas* especiales. También hay *dípticos* y *trípticos* con el *eslogan*, el *lema* del verano para los viajes especiales: ¡Atrévete!. Ya sabes que este año estamos *promocionando* especialmente este tipo de viajes. Esperemos que tengan éxito.
Luis:	¿Cuál crees que será el *perfil del consumidor* ?
Teresa:	Pretendemos atraernos a la gente joven con *posibilidades económicas*. Estamos utilizando también *publicidad directa* a este efecto.
Luis:	Bueno, quizás me llegue nuestra propia publicidad a casa uno de estos días. ¿Me atreveré a ir de viaje? ¿Me haréis *descuento*?
Teresa:	Por supuesto, y si nos consigues clientes en la feria, incluso te regalaremos los *carteles* que sobren para que decores tu casa con vistas de todo el mundo.

*Stand: es decir, "caseta", "pabellón".

VOCABULARIO

A

Agencia de publicidad:
Empresa que asesora a un anunciante, colabora en la definición de la estrategia de comunicación, crea el mensaje, supervisa su realización y controla su difusión.

C

Campo:
Conjunto de todo lo que está comprendido en una cierta actividad.

Cartel:
Papel impreso que contiene textos, dibujos… con fines publicitarios.

Catálogo:
Lista impresa de productos que se ofrecen a la venta.

Cliente:
Persona que regularmente utiliza los servicios de un profesional o empresa, o que acostumbra a comprar en un mismo establecimiento.

"Cómic":
Cuento o historia corta ilustrados con dibujos.

Consumidor:
Persona demandante y compradora de un determinado bien o servicio.

Coste:
Precio pagado por algo, por ejemplo, por compra de materiales, compra de suministros.........

D

Descuento:
Disminución del precio de tarifa o precio de venta al público de una determinada mercancía.

Díptico:
Folleto publicitario plegado en dos, normalmente por la mitad.

E

Eslogan:
Frase breve, fácilmente recordable, que aparece al final de un mensaje publicitario y resume su contenido.

F

Feria:
Exhibición instalada temporalmente en pabellones construidos para la ocasión.

Folleto:
Pieza publicitaria compuesta por varias hojas impresas con información sobre productos o sobre la propia empresa.

L

Lema:.
(Ver eslogan).

M

Medios de comunicación:
Conjunto de medios materiales y humanos que sirven para la distribución de noticias y de información (prensa, radio...).

O

Oferta:
Cantidades de un bien que se ofrecen en un mercado y en un momento determinados, a un precio o conjunto de precios.

P

Perfil del consumidor:
Conjunto de características demográficas, sociales y de mentalidad que distinguen a los consumidores de una marca, clientes de un establecimiento o usuarios de un servicio.

Periódico:
Publicación que aparece diariamente en una o varias ediciones.

Posibilidades económicas:
Medios suficientes para acceder a un determinado objetivo.

Promocionar:
Acción dirigida a mejorar y desarrollar las ventas, utilizando diversas técnicas.

Publicidad:
Conjunto de actividades dirigidas a promover las ventas de una empresa, a ampliar o crear la necesidad de un producto y a mantener o perfeccionar la imagen de una empresa en el ámbito del consumidor.

Publicidad directa:
Mensaje que llega directamente a personas previamente identificadas, normalmente por correo.

R

Revista:
Publicación periódica (normalmente semanal, quincenal o mensual) dirigida a un determinado sector de la población, con noticias y reportajes, y generalmente con muchas fotografías.

S

Semanario:
Publicación que aparece un día fijo de cada semana.

"Stand":
Lugar con estanterías en el que se muestran productos. Se instalan especialmente en una feria.

T

Tríptico:
Folleto publicitario plegado en tres.

V

Viñeta:
Dibujo pequeño impreso, aislado o formando una historieta cómica.

OBSE**R**VE

La verdad es que

estoy preocupado.
no estoy convencido.
no tengo ganas de ir.

Función: Para reforzar una información.

● ● ● ● ● ● ● ● ●

Ya sabes que

acabo de empezar.
me gustaría ir contigo.
todavía tengo problemas.

Función: Para introducir una constatación.

● ● ● ● ● ● ● ● ●

No sé si estoy preparado.
No estoy seguro de estar capacitado.

¿Y por qué no habrías de estarlo?

Función: Para expresar desacuerdo de manera indirecta respecto a una opinión del interlocutor.

● ● ● ● ● ● ● ● ●

Me alegro de que

te haya gustado.
hayas venido.
hayas solucionado el problema.

Función: Para expresar una emoción positiva.

● ● ● ● ● ● ● ● ●

Volviendo

al tema de la feria.
al asunto de la promoción de ventas.
al artículo del periódico.

Función: Para retomar un tema anterior.

● ● ● ● ● ● ● ● ●

Esperemos

que tenga éxito.
que vendan mucho.
que atraiga a mucho público.

Función: Para expresar un deseo.

RECUE**R**DE

FUTURO

- Idea de futuro: *Los grandes almacenes **abrirán** más horas.*
- Futuro en condición: Si + presente indicativo + futuro:
  *Si no hablas con él, **hablarás** de él.*

CONDICIONAL

- Fórmula de cortesía: *¿**Podría** ver los folletos?*
- Hipótesis de futuro: *Me **gustaría** hacer algo distinto.*
- Frase indirecta: *Dijo que este coche me **duraría** toda la vida.*

MANOS A LA OBRA

¿Se ha fijado usted en las expresiones que aparecían en el diálogo?

Relacione

Hacerse cargo	A propósito
De todas formas	La verdad es...
Darse a conocer	Responsabilizarse de
Desde luego	Refiriéndonos a ello
Uno de estos días	Por supuesto
Fuera de serie	También
Lo cierto es	Mostrarse al público
Por cierto	Cualquier día
Incluso	En cualquier caso
Ya que hablamos de ello	Extraordinario

Ordene y finalice el diálogo siguiente

a) Juan: Deberíamos hacer más propaganda para *darnos a conocer.*

b) Juan: Si tienes ideas, quizás podrías *hacerte cargo* de la nueva campaña publicitaria.

c) Pedro: Opino lo mismo, es importante que el público nos conozca más.

d) Pedro: Por mí encantado, pero *lo cierto es* que.....

e) Juan:*Uno de estos días* tenemos que tratar seriamente el tema de los anuncios de los   nuevos productos.

f) Pedro: *Ya que hablas de ello* te comentaré una nueva idea sobre la publicidad en la prensa.

Sustituya los infinitivos por futuro:

1. La campaña publicitaria (empezar) .... el próximo martes.

2. Los medios de comunicación se (hacer) .... cargo del aspecto publicitario.

3. Esta oferta (tener) .... valor a partir del 13 de enero.

4. Pensamos que el probable consumidor de este producto (ser) .... una persona de mediana edad.

5. Marta, tú (ser) .... la persona encargada de distribuir los folletos.

6. ¿Dónde (estar) .... José Luis?
¿(Haber) .... ido a la feria?

7. El próximo año, nosotros (lanzar) .... este nuevo detergente al mercado.

8. Manuel, ¿crees que Antonio (poder) .... solucionar todos los conflictos?

9. Sr. Álvarez, ¿puede ayudarme, por favor? No sé si (saber) .... promocionar esta marca de chocolate correctamente.

10. Vosotros (poner) .... el anuncio del cursillo de yoga en el periódico local de mayor tirada.

EN BUSCA DEL COCHE PERDIDO

¿Recuerda aquella oferta inolvidable? ¿Qué le prometió el vendedor? ¿Qué pasó en realidad?

1. *"Este coche le **durará** toda la vida".*
Dijo que este coche me **duraría** toda la vida, pero en realidad me **duró** sólo una semana.

2. *"No tendrá problemas con el equipaje, le cabrá todo".*
Dijo que...
pero...

3. *"Podrá llegar al fin del mundo".*
Dijo que...
pero ni siquiera...................................... a la vuelta de la esquina.

4. *"Hará unos viajes maravillosos".*
Dijo que...
pero...

5. *"Será la envidia de los otros conductores".*
Dijo que...
pero.. el hazmerreír de todos.

6. *"No querrá nunca cambiar de coche".*
Dijo que no..
pero...

7. *"Sabrá lo que es conducir un buen coche".*
Dijo que...
pero...

8. *"Volverá para agradecérmelo".*
Dijo que...
pero...

9. *"Presumirá de coche".*
Dijo que...
pero...

10. *"Se sentirá cómodo y seguro".*
Dijo que...
pero...

MANOS A LA OBRA

{ • }

Complete con los tiempos adecuados los eslóganes

1. Si a usted le (importar) .... sus alumnos, no (dejar) .... pendiente esta asignatura.

2. Si usted (querer) .... a los niños, ésta (ser) .... la oportunidad para demostrarlo.

3. Si no (conocer) .... bien 'Europa, ¿cómo (entrar) .... cuando se abra la barrera?

4. ¿Un intento imposible? Si (atreverse) .... a llevar sombrero, nosotros se lo (regalárselo) ....

5. Si usted (ser) .... capaz de esperar hasta 72 horas, nosotros (ser) .... capaces de darle hasta 150.000 ptas.

6. Si no (hablar) .... con él, (hablar) .... de él.

7. Si nosotros (poner) .... su precio total, ustedes nos lo (quitar) ....

8. Si usted (sentirse) .... a disgusto con alguna parte de su cuerpo, nosotros (poder) .... ayudarle.

9. Ni los 215 CV, ni el turbo "intercooler", ni las 16 válvulas le (servir) .... de nada, si su coche no (arrancar) ....

10. Si al verte con ese jersey él no (rendirse) ...., (matarlo) ....

¿A qué puede corresponder cada eslogan?

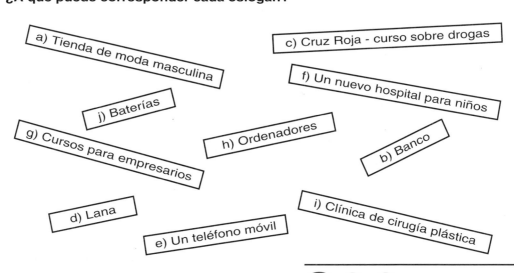

a) Tienda de moda masculina

c) Cruz Roja - curso sobre drogas

f) Un nuevo hospital para niños

j) Baterías

g) Cursos para empresarios

h) Ordenadores

b) Banco

d) Lana

e) Un teléfono móvil

i) Clínica de cirugía plástica

JORNADAS SOBRE LA PUBLICIDAD

Complete el texto con las frases prepositivas o adverbios que funcionan con carácter expositivo o argumentativo.

ante todo

al mismo tiempo

en cuanto

asimismo

desde luego

ahora bien

a pesar de ello

sin embargo

por el contrario

cabe destacar

cabe observar

El Señor Rodríguez - López, director del periódico "España hoy", participó en las Jornadas sobre la Publicidad celebradas en Zaragoza.
En esta ocasión se abordaron los temas del marketing y la empresa y las relaciones que existen entre los anunciantes y las agencias de publicidad.

El señor Rodríguez-López empezó su charla diciendo: ".........1............. .... debo señalar que la prensa es un fenómeno comunicativo y económico......2....... ....3........... .... a los cambios experimentados en este sector en los últimos años, ...4........ .... que han sido verdaderamente importantes. Antes, los diarios tenían más páginas de información que de publicidad, ...5....... ...., hoy la publicidad ocupa una función casi dominante.
.........6............. para garantizar la independencia de los diarios, su solvencia y su rigor se necesita dinero y para ganarlo es necesaria la publicidad; ....7......... ...., es importante mantener el equilibrio entre la información y los anuncios.
.......8.......... .... hay que tener muy en cuenta el papel que hoy juega el marketing en la empresa: ......9....... .... la importancia que otorgan al marketing la mayoría de las empresas a la hora de plantear su estrategia de ventas.
....10........ .... todavía la "intuición" prima sobre el estudio científico del mercado.
....11........ ...., las empresas extranjeras cuentan con una mayor planificación estratégica del mercado."

MANOS A LA OBRA

B l a

B l a

B l a.

EN LA CAFETERÍA DE LA EMPRESA

Ponga en condicional los verbos entre paréntesis:

Sergio y Lola, compañeros de trabajo, discuten sobre lo que harán las próximas vacaciones.

Sergio: *¿Qué harás en vacaciones?*

Lola: *No sé. (Gustarme) ....1............ hacer algo distinto.*

Sergio: *¿Distinto? ¿Distinto de qué?*

Lola: *De lo que hace todo el mundo. (Apetecerme) ....2....... hacer algo original.*

Sergio: *¿Por qué no vas a Kenia? Eso es muy original, ¿no?*

Lola: *¿Original? ¡Pero si ya ha ido un montón de gente!*

Sergio: *Bueno, pero tú (poder) ....3............ hacer un safari.*

Lola: *¿Tú en mi lugar lo (hacer) ....4..............?*

Sergio: *Claro que sí, y además (ir) ....5.......... contigo.*

Lola: *¿Ah sí? ¿(venir) ....6............. conmigo? Pero, ¿qué (decir) ......6........en la oficina?¿No (hacer) ......6..... comentarios maliciosos?*

Sergio: *Yo que tú no (preocuparse) ......7....... y (empezar) ....7........ a preparar las maletas. Casualmente tengo aquí unos folletos con el lema "atrévete" de la agencia de viajes Aventura.*

Lola: *¿(Poder) ....8................ verlos?*

Sergio: *Mira. Ayer los hojeé y pensé que (ser) ....9.......... maravilloso aprovechar esta oferta. En pareja (salir) ....9............ más barato.*

Lola: *Parece muy interesante. ¿(Salir) (nosotros) ....10..........desde Sevilla o Madrid?*

Sergio: *Por lo que pone aquí (tener) ....11........ que salir de Madrid.*

Lola: *¿Y cómo (ir) (nosotros) ....12............. a Madrid?*

Sergio: *A mí (gustarme) ....13.............. ir en coche.*

Lola: *Pues yo (preferir) ....14........ ir en avión para no perder tanto tiempo.*

Sergio: *De acuerdo. (Deber) (nosotros) ....15......... ir a la agencia en cuanto antes. ¿Te va bien al salir?*

Lola: *Muy bien. ¡Hasta luego!*

Bla Bla Bla.

SI SE PONE ENFERMO, COBRARÁ.
SI TIENE UN HIJO, COBRARÁ.
SI LE OPERAN, COBRARÁ.
SI NO LE PASA NADA, TAMBIÉN
COBRARÁ.

TÚ VALES MUCHO

Ahora en los concesionarios valoramos mucho más su coche usado a la hora de comprar otro. Así que, si está pensando cambiar de coche, venga antes a vernos y entérese de las condiciones especiales del mes.

Vale la pena.

ACTIVIDADES

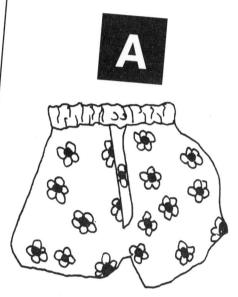

Este calzoncillo ha sido confeccionado con algodón 100 %, posee un diseño cómodo y atrevido, su P.V.P. es de 1.750 ptas. y lo puede encontrar en todas las tiendas de moda de España.

Este calzoncillo ha sido confeccionado con algodón 100 %, posee también un diseño cómodo y atrevido, su P.V.P. es de 1.750 ptas. y lo puede encontrar también en todas las tiendas de moda de España.

SI ESTOS DOS CALZONCILLOS SON EXACTAMENTE IGUALES, ENTONCES, CUÁL ES LA RAZÓN POR LA QUE EL CONSUMIDOR LLEGARÁ A PREFERIR **A** ANTES QUE **B**. LLÁMENOS* SE LO EXPLICAREMOS.
* 243 55 01.

1. Mire la publicidad anterior y trate de adivinar qué anuncian.

2. Discuta con sus compañeros qué otros productos se podrían anunciar con el mismo eslogan.

3. Concurso de eslóganes.

4. Diseño de un anuncio.

5. **Debate:** a) Límites a la publicidad.
   b) Relaciones y diferencias entre "marketing" y publicidad.

El envase es comunicación

En la década de los sesenta del pasado siglo, el ingeniero Bosch, que paseaba por las calles de París, compró una botella de colonia que le llamó poderosamente la atención. Al regresar a Badalona, su ciudad, puso en marcha una destilería de anís. Y como envase, no tuvo la menor duda en utilizar el mismo que había comprado unos meses antes.

Así nació la característica botella de Anís del Mono, que después sería imitada por la Castellana, la Asturiana, Las Cadenas y otros numerosos competidores.

Hoy, existe una larga familia de botellas que, en cualquier estantería de cualquier bar, se diferencian y distinguen de todas las que le rodean: una botella blanca de forma cilíndrica con estrías romboides, es, inconfundiblemente, anís y sólo anís.

La personalidad, la concreción, la diferenciación de un envase es, en la mayoría de los productos de consumo, el elemento de comunicación y definición de su personalidad pública más vital que puede existir.

Y es, por supuesto, el primer anuncio de cualquier producto. Un envase debe cumplir, al margen de la protección, cuatro funciones básicas:

1. Información.
2. Diferenciación.
3. Ilusión.
4. Provocación.

Es lo que, personalmente, he bautizado, en esta época de siglas, como el proceso IDIP.

(I). **Informe:** no convierta su envase en una caja misteriosa. Los distribuidores pueden llegar a odiar una empresa que no defina claramente, en un lugar asequible, la capacidad, unidades, tamaño, vatios o todos aquellos detalles que, en algunos productos, es necesario conocer imprescindiblemente para decidir una venta. Los compradores pueden quedar desconcertados.

No importa que haga o no bonito. Que un buen diseñador gráfico lo haga agradable. Pero es inaceptable que para ser más elegantes, más discretos, más, etc…, se prescinda o se escriba con letra que necesite lupa la información que para muchos es básica.

(D). **Diferénciese:** si es igual que los demás, no tiene personalidad; si imita, sólo comprarán los despistados. Hay que diferenciarse. Ésta es la base de una personalidad fuerte y bien concreta.

Toda la teoría expuesta en el diseño del propio producto sirve exactamente en el caso del envase, que muchas veces permanece adherido a él mientras no se ha agotado: éste es el caso de las bebidas; las colonias, perfumes, masajes, desodorantes y numerosos artículos de perfumería; los detergentes; las galletas, los chocolates, la incontable lista de productos de alimentación a la que hay que añadir el mundo de los servicios donde el diseño del propio documento es él mismo: el talón, la póliza, la libreta de ahorros, etcétera.

El público tiene que *sentir* que está comprando y consumiendo o utilizando *aquel* producto y no otro. Cada contacto, cada uso que se produce entre consumidor y marca tiene que evidenciar, aunque sea a nivel subconsciente, esta personalidad, que es el motivo por el que alguien en su día lo eligió. Y la personalidad del envase debe gratificar la de su protector, el cliente.

La diferenciación ha sido una carta jugada con notable éxito por muchas empresas desde la antológica botella de Coca-Cola.

(I). **Ilusione:** la gente no es tan robot como en los Nielsen. Cada martes, a las cinco en punto de la tarde, tres hombres se encierran en una pequeña sala de un sobrio edificio de la Travesera de Gracia de Barcelona, que tiene una elegante mesa circular en el centro. Son Sebastián Gómez, director de la empresa, André Ricard, uno de los mejores diseñadores industriales de nuestro país, y Zimmerman, un excelente diseñador gráfico.

Lo que allí se discute cada martes no son capacidades ni volúmenes. Lo que se trata es cómo dar a estas capacidades y volúmenes un entorno que despierte, unos meses más tarde y para miles de personas de todo el mundo, el deseo de comprar.

Es, en definitiva, la sistematización de un hecho que jamás hay que olvidar: al consumidor hay que despertarle la ilusión.

Si cuando tiene su producto acabado, lo sitúa junto al de sus competidores más directos y comprueba que no ha introducido elementos que despierten ilusión, rómpalo y vuelva a comenzar. O lo rechaza usted o lo rechazarán después los consumidores.

(P). **Provoque:** Los tímidos pasan inadvertidos. Hay demasiados productos en las estanterías de un supermercado, de una perfumería, de un almacén. Hay demasiados competidores de todo, no se puede ser tan ingenuo como para pensar que un envase ortodoxamente concebido va a salir solo.

Cada día hay más empresas que compiten y pagan cifras más y más importantes por situarse en las llamadas cabeceras de góndola, los finales de los largos pasillos de los supermercados. Han comprobado que venden más, sencillamente, porque este emplazamiento es, por sí mismo, una provocación.

Si esto es así, ¿por qué no diseñar ya el propio envase dentro de idénticas coordenadas?

Y, en este caso, y ante precios similares, que son bastantes, gana quien mejor provoca. Quien mejor sabe decir "aquí estoy yo", por sus colores, su fotografía, su beneficio escrito claramente en la cara frontal, su categoría, por algo concreto que lo diferencia y conecta con lo que el público desea encontrar de ilusión o función en aquel producto.

COMPRENSIÓN LE**C**TORA

1. Un envase debe cumplir cuatro funciones básicas (IDIP), pero hay otra más importante. ¿Cuál?

2. ¿Por qué es ésta una época de siglas? Explica y da algunos ejemplos.

3. ¿Qué es inaceptable que tenga o no tenga un envase?'

4. Si se imita un envase, ¿quién comprará ese producto? ¿Por qué?

5. ¿Por qué hay que ilusionar al consumidor?

6. ¿Qué son las cabeceras de góndola?

7. ¿Para qué pagan algunas empresas?

8. ¿Por qué?

9. Ante precios similares, ¿quién vende más?

10. ¿Por qué el envase es comunicación?

COMPRENSIÓN AUDITIVA

El señor Martin Sorrell, presidente de Wire Plastic Products (WPP), uno de los primeros grupos mundiales de publicidad y comunicación empresarial, concedió una entrevista a "La Vanguardia" en la que trata varios aspectos.

1

Sr. Sorrell, ¿podría definir el perfil del consumidor de hoy?

- Escuche la primera pregunta formulada al señor Sorrell y escriba lo que puede ser su contestación.

2

¿Se puede hablar de un cambio importante en las estrategias de publicidad en los últimos años?

- Escuche la segunda pregunta y la respuesta dada por el señor Sorrell. A continuación escriba un resumen de la contestación, ayudándose de las palabras siguientes.
desarrollo / inversión / coste / inflación / quejarse /

3

¿Cree que es posible que el ciudadano se rebele un día ante el exceso de bombardeo publicitario?

- Escuche la tercera pregunta y la respuesta dada por el señor Sorrell. A continuación indique si las frases siguientes son verdaderas o falsas.

	VERDADERO	FALSO
a) El ciudadano está harto de la publicidad dirigida por correo.		
b) Hay que atosigar al consumidor.		
c) La comunicación sólo tiene una vertiente.		
d) La comunicación es cada vez más rápida y compleja.		

4

¿Cuál es su opinión sobre el nivel que ha alcanzado la publicidad en España?

- Escuche la última respuesta y complete las palabras que faltan.

- Bueno, he de confesar que no soy un................. en...................... ya que no he redactado en mi vida ni un solo................... .
Como usted sabrá yo soy economista y .... este sector desde el punto de vista económico. Pero sí puedo decir que el..................... publicitario en España, al igual que otros países del sur de Europa, ha registrado.......................... en torno al 20 % anual. Realmente admiro el nivel .... que ha alcanzado la....................... en su país y también me ha sorprendido el fuerte crecimiento... .... por el mercado de la televisión.

COMPRAS Y VENTAS

4

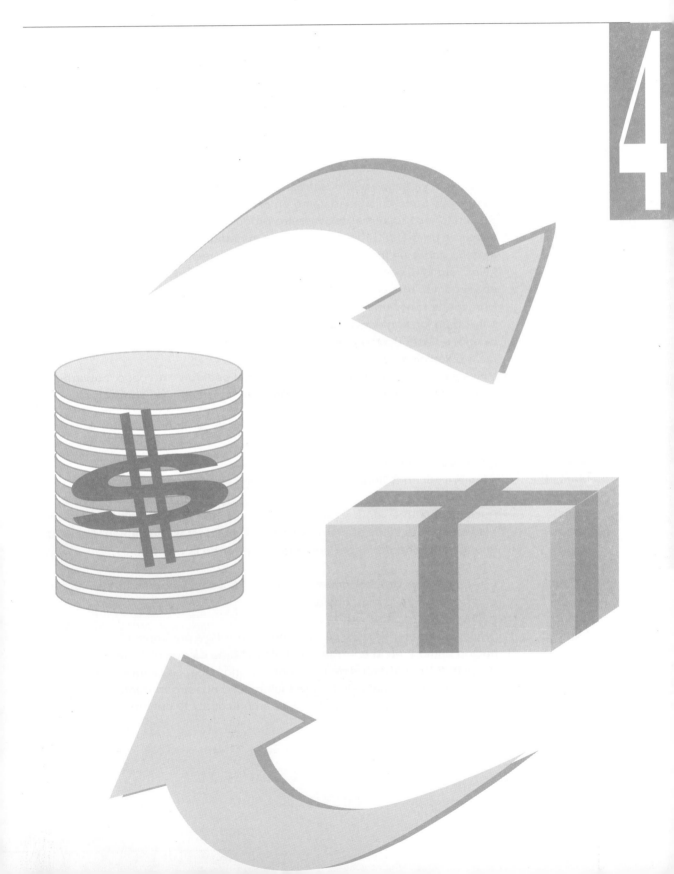

DIÁLGO

COMPRAS Y VENTAS

En el despacho de Juan Cuevas, director de compras de la empresa "Bands".

Juan:	Oye, Felipe ¿recuerdas cuándo *vencen* los *plazos de entrega* de los últimos *pedidos*?
Felipe:	Ahora que lo dices, creo que deben de estar a punto de vencer, ¿ por qué?
Juan:	Porque me da la impresión de que no recibiremos el algodón a tiempo.
Felipe:	Ya te dije que deberíamos tener más de un *proveedor*, porque en el momento en el que éste nos falle estaremos sin *existencias* y no podremos servir los pedidos de nuestros *clientes*.
Juan:	Según el *inventario* aún tenemos género para confeccionar unas 25.000 camisetas más, pero ten en cuenta que nos hemos comprometido a entregar 40.000 esta temporada, ¿qué pasará si no nos llega el algodón?¿nos *anularán* los pedidos?
Felipe:	No lo creo, ya sabes que nuestros *competidores* se hallan en fuerte desventaja tanto en calidad como en *precios*.
Juan:	Sí, tienes razón, en realidad nuestro *producto* es muy competitivo: buena calidad a un menor precio. Claro , que lo hemos conseguido comprando la *materia prima* sin *intermediarios* y a un buen precio.
Felipe:	¿Recuerdas la comisión que se nos llevaba Fernández? En aquella época atravesamos una *crisis* que por poco acaba con nuestra *empresa*.
Juan:	Por suerte reaccionamos a tiempo y pudimos colocarnos de nuevo a la cabeza de los confeccionistas de este *sector*.
Felipe:	Bueno, en esta ocasión no cantes victoria hasta que veas la *mercancía* con tus propios ojos.
·Juan:	Voy a llamar ahora mismo para *reclamar* el pedido y , de paso, hablaré con Maribel para que nos informe de cómo van las ventas de camisetas.

●　●　●　●　●　●　●　●　●　●　●　●　**,**

Juan:	¿ Qué tal , Maribel?
Maribel:	¡Hombre , Juan !¡Siéntate!¡ Dime ! ¿ Cómo va todo por la *sección de compras*?
Juan:	Pues, justamente venía a hablarte de eso porque tenemos algún problema.
Maribel:	¡ No me hables ! Hoy me han llamado los *mayoristas* "Vistabien" haciendo una reclamación por haber cometido un error en la entrega.
Juan:	¿ Y eso ?
Maribel:	Enviamos a un *vendedor* nuevo al *punto de venta* y apuntó mal el *número de referencia* de la mercancía.
Juan:	¿ Qué vais a hacer ahora ?
Maribel:	"Vistabien" pretende que les hagamos una *rebaja* por considerar que ha habido demora en la entrega, pero el problema es que ellos ya tienen *descuento* y *facilidades de pago* por ser unos buenos clientes, y si aceptamos otra rebaja se va a reducir mucho nuestro *margen de beneficio*.
Juan:	¡ Anímate , mujer ! ¡ Venga ! te invito a una copa y te cuento lo mío.

VOCABULARIO

A

Anular un pedido :
Rescindir un encargo.

C

Cliente:
Persona que utiliza los servicios de un profesional.

Comisión:
Porcentaje que se queda el intermediario en una venta.

Competidor:
Persona física o jurídica con una situación similar en el mercado, lo que le sitúa como rival en el sector.

Crisis:
Periodo de inestabilidad.

D

Demora:
Retraso en la entrega o el pago de un producto.

Descuento:
Disminución pactada del precio de venta al público.

E

Empresa:
Firma comercial.

Entrega:
Acción de poner un producto en posesión de otra persona.

Existencias:
(Stock) productos o reservas que todavía no han tenido la salida a que están destinadas.

F

Facilidades de pago:
Posibilidad de realizar el pago de forma más ventajosa para el cliente, según condiciones previamente pactadas.

I

Intermediario:
Persona que media entre el productor y el consumidor.

Inventario:
Lista de existencias.

M

Margen de beneficio:
Diferencia entre los ingresos y los costes.

Materia prima:
Materia que se necesita en primer lugar para la fabricación de un producto.

Mayorista:
Empresa que se dedica a vender al por mayor.

Mercancía:
Producto.

N

Número de referencia:
Número que sirve para identificar un producto facilitando su almacenamiento.

P

Pedido:
Encargo hecho a un fabricante o vendedor.

Plazos de entrega:
Fechas en que debe entregarse un producto.

Precio:
Valor dado a una mercancía.

Producto:
Resultado final de un proceso de elaboración.

Proveedor:
Persona que suministra un producto.

Punto de venta:
Lugar donde se realiza la venta.

R

Rebaja:
Reducción en el precio.

Reclamar:
Exigir el cumplimiento de una obligación.

S

Sección de compras:
Área de la empresa que se dedica a todo lo relacionado con la adquisición de productos.

Sector:
Área de intereses económicos similares.

V

Vencer:
En contexto comercial, finalizar un plazo.

Vendedor:
Persona encargada de promocionar y vender un producto.

OBSEVE

Ahora que lo dices,
creo que deben de estar a punto de vencer.
me doy cuenta de mi error.
voy a revisar la factura inmediatamente.

Función: Para indicar que se recuerda algo.

● ● ● ● ● ● ● ● ●

Deben de estar a punto de
vencer.
llegar.
salir.

Función: Para indicar la inmediatez próxima de un hecho.

● ● ● ● ● ● ● ● ●

Me da la impresión de que
no recibiremos el algodón a tiempo.
no lo has entendido bien.
Pedro será un buen vendedor.

Función: Para expresar la opinión.

● ● ● ● ● ● ● ● ●

Según
el inventario, aún tenemos género.
nuestros proveedores, no habrá problemas.
el director de ventas, todo está solucionado.

Función: Para indicar referencia.

● ● ● ● ● ● ● ● ●

Ten en cuenta
que nos hemos comprometido.
que no es la primera vez que ocurre.
que estamos pasando una crisis.

Función: Para advertir.

● ● ● ● ● ● ● ● ●

Tienes razón,
nuestro producto es muy competitivo.
nuestra red de vendedores es bastante buena.
existe una gran demanda en estos momentos.

Función: Para expresar acuerdo.

● ● ● ● ● ● ● ● ●

Por poco
acaba con nuestra empresa.
nos quedamos sin existencias.
no llegamos a tiempo.

Función : Para indicar que algo estaba punto de ocurrir pero no ha sucedido.

● ● ● ● ● ● ● ● ●

Por suerte
reaccionamos a tiempo.
pudimos hablar con él.
te ha llamado.

Función: Para indicar que ha sucedido algo positivo.

● ● ● ● ● ● ● ● ●

Voy a llamar ahora mismo   **y, de paso**
hablaré con Maribel.
le dejaré el informe a Enrique.
veré si hay algún mensaje.

Función: Para indicar que algo sucede simultánea o anteriormente que otra acción.

RECUE**R**DE

El **imperativo** se usa para:

- Ordenar: ***Tráigame*** *el último pedido.*

- Conceder permiso o invitar a hacer algo: ***Siéntese****.*

- Llamar la atención: ***Fíjate****,* ***Ten*** *en cuenta,* ***Date*** *cuenta.*

- Dar instrucciones: ***Apriete*** *el botón,* ***Empuje****.*

- Aconsejar: ***Anímate****, **No*** *trabajes tanto.*

MANOS A LA OBRA

Escriba en los espacios en blanco las expresiones siguientes que usted ya conoce por aparecer en el diálogo de esta unidad.

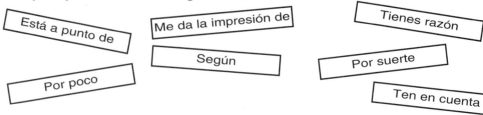

Está a punto de

Me da la impresión de

Tienes razón

Según

Por suerte

Por poco

Ten en cuenta

1. Los costes de ventas de las empresas españolas se han incrementado un 30% .... revela una encuesta.

2. .... que el coche más vendido este año ha sido el Renault 19.

●3. .... que las redes electrónicas podrían permitir a las empresas realizar ofertas adecuadas a los compradores.
●......................., las nuevas tecnologías van a suponer una transformación revolucionaria.

4. .... se queda el cliente sin recibir mercancía.

5. La tecnología informática .... cambiar el actual estado de cosas.

6. .... estamos saliendo de la crisis.

CONSEJOS PARA EL BUEN COMPRADOR

Sustituya los verbos en infinitivo por la 2ª persona (usted) del imperativo:

1. (Evitar) .... intermediarios.

2. No (olvidar) .... revisar meticulosamente los envíos.

3. (Pagar) .... después de recibir las mercancías.

4. (Exigir) .... que una garantía cubra los productos que compre.

5. (Ser) .... inflexible con las demoras. No (permitir) .... que se produzcan más que por fuerza mayor.

6. (Procurar) .... conseguir alguna comisión o beneficio en la compra de grandes existencias.

7. (Analizar) .... detenidamente si el producto recibido corresponde al pedido realizado y (conservar) .... todos los documentos acreditativos de la compra.

8. (Hacer) .... usted un inventario de todas las existencias.

9. No (confiar)........................ demasiado en acuerdos verbales. (Exigir)...................... contrato.

10. Por último, no (olvidar)......................... regatear para conseguir mejor precio. Y (comprobar)............................ la calidad.

FUERZA DE VENTAS

Complete el texto con las preposiciones adecuadas.

Dentro ...1... (el) sector, la empresa Max era conocida ...2.... su fuerza ...3.. ventas, bien entrenada y agresiva.

El director ...4... ventas lo explica así: "El 80% ...5... nuestros vendedores ha estado al menos dos años ...6... la universidad, y el 50% está ...7... posesión ...8... un título universitario. Pero ...9... tomar ...10... cuenta su preparación han pasado ...11..... nuestro programa formal ...12... capacitación. Tenemos seminarios ...13... ellos, lo mismo que entrenamiento ...14... la calle ...15... supervisión ...16... representantes más experimentados.

Nuestros vendedores ...17... (el) detall promedian cuatro visitas ...18... individuo ...19... (el) día y nuestra fuerza ...20... ventas al ...21... mayor, cuatro visitas y media ...22... individuo y ...23... día.

Este buen trabajo se refleja ...24... sus sueldos. Les damos un sueldo básico más una comisión. Nuestra política es que el buen trabajo merece buena paga".

Escoja entre estos adjetivos los que crea más apropiados para un buen vendedor de coches usados.

emprendedor	detallista
nostálgico	chistoso
extravertido	aburrido
paranoico	positivo
vivaz	despierto
astuto	honrado
estafador	sagaz
lento	pelma
monótono	desconsiderado
nepotista	grosero

MANOS A LA OBRA

EL COSTE DE LAS VENTAS EN LA EMPRESA ES EXCESIVO

Construya textos con sentido relacionando ambas columnas.

1. Según una encuesta

a) se han incrementado.

2. los costes de ventas de las empresas españolas

b) existen contadas escuelas de vendedores.

3. El aumento de la retribución salarial de vendedores y directivos de ventas

c) realizada por el Instituto Superior de Dirección de Ventas,

4. El incremento en gastos de viaje y las dietas

d) requiere hoy una alta cualificación técnica.

5. El director general del Instituto Superior de Dirección de Ventas

e) es otro factor a tener en cuenta.

6. En España

f) han de tratar con jefes de compras de grandes almacenes e hipermercados.

7. La comercialización

g) es uno de los factores que más han incidido en la elevación de los costes.

8. Actualmente los vendedores

h) señala que "los salarios de nuestros comerciales están por encima de baremos de varios países europeos".

TIPOLOGÍA DE LOS CLIENTES

	MANERA DE ATENDERLES	ERRORES QUE DEBEN EVITARSE	CARACTERÍSTICAS GENERALES	
DOMINANTE	Déjele hablar. Escúchele con paciencia. Conserve la calma y el buen humor.	No discuta. No se deje impresionar por sus sarcasmos considerándolos como ofensas personales.	Persona lenta de palabras. Desea tener tiempo para reflexionar.	1
DISTRAÍDO	Concentre la argumentación en un solo punto. Sea rápido y hábil. Demuestre interés y curiosidad.	No se distraiga ni interrumpa la argumentación.	Se muestra impaciente y nervioso.	2
RESERVADO	Sea amable y demuestre interés. Haga preguntas cuya respuesta sea afirmativa.	No interrumpa la conversación. Procure que las pausas sean breves.	Apenas contesta a las preguntas que se le formulan. Es una persona impasible. Da la sensación de no entender lo que se dice.	3
LOCUAZ	Escúchele, pero trate de llevar la conversación hacia el artículo que trata de venderle.	No demuestre impaciencia.	Parece no escuchar lo que se dice.	4
INDECISO	Suministre información y procure dar consejos útiles.	No deje que la conversación languidezca.	No cesa de hablar. Si el diálogo no se dirige hábilmente, la conversación se desviará hacia otro tema.	5
VANIDOSO	Acoja con interés las opiniones y las ideas del cliente. El simple hecho de escuchar constituye una deferencia, a la cual no será insensible.	No contradiga al cliente. No deje que se excite ni que se desconcierte.	Es incapaz de tomar una decisión. Se interesa de forma simultánea por diferentes productos. Pide opiniones al vendedor y a las personas que le rodean.	6
INESTABLE	Escuche atentamente lo que le pide. Sea rápido en gestos y palabras.	Procure no interrumpir. No hable demasiado. No se deje dominar por los nervios.	Exige argumentaciones. Le gusta hablar fuerte y se muestra brusco, sarcástico y en ocasiones agresivo.	7
LENTO	Tómelo con calma. Repita la argumentación cuantas veces sea necesario. La argumentación debe ser muy completa.	No manifieste impaciencia. No presione al cliente.	Trata de demostrar sus conocimientos en el tema. Pone en duda las afirmaciones del vendedor.	8

¿Qué características generales corresponden a cada tipo de cliente? Subraye los imperativos que encuentre.

Bla

Bla

Bla.

EN EL BAR DE LA ESQUINA

Ponga los verbos entre paréntesis en imperativo.

Juan y Maribel continúan la conversación.

Maribel:	¡Ay, (perdonar, tú) ....1.........! Tú querías decirme algo y yo no te he dejado hablar, es que estoy muy nerviosa. ¡(contar, tú) .....2...... !
Juan:	¡No (preocuparse, tú) ....3......! para eso estamos los amigos: ¿Qué quieres tomar? Yo pediré un café.
Maribel:	Pues, ... en este momento no sé que me apetece. (Mirar,tú) ....4... sí, una horchata, porque si tomo café no duermo. En fin, (volver,nosotros) ....5...... a lo tuyo.
Juan:	¡No (hablar, nosotros) ......6..... de trabajo ahora! Ya lo haremos en la oficina ¿Qué harás este fin de semana?
Maribel:	¿Y qué quieres que haga? preparar el seminario para los nuevos vendedores.
Juan:	Trabajas demasiado, ¡no (trabajar, tú) ......7..... tanto! ¡(Darse,tú) .....8..... un momento de respiro!
Maribel:	¿Y a los vendedores qué les digo el lunes?
Juan:	¡No (obsesionarse,tú) ......9........ No es el primer seminario que das. ¡(Relajarse, tú) .....10....... un poco y (disfrutar, tú) .....11... de tu tiempo libre!
Maribel:	Es que no puedo. ¡(Decir,tú) ....12.... me!¿cómo?
Juan:	Muy fácil. (Salir, tú) ....13......... conmigo a cenar.
Maribel:	De acuerdo pero, por favor, ¡no (traer,tú) .....14.... a Felipe como la última vez!
Juan:	Aquello fue una cena de trabajo, esto será algo totalmente distinto.

Bla Bla Bla.

ACTIVIDADES

1. De la lista de verbos que hay a continuación, escoja los que podría utilizar un jefe de ventas cuando da instrucciones a los nuevos vendedores. A continuación compare y comente con otro/s estudiante/es.

REBAJAR
DAR LA MANO
BOSTEZAR
INVENTARIAR
ATACAR
ESTAR AL ACECHO
FIRMAR
SONREÍR
CASARSE
DESPEDIRSE
RECLAMAR
TENER PACIENCIA
REGISTRAR
TUTEAR
FACTURAR
CANSARSE

2. A/ ¿CÓMO VENDERÍA USTED UN CUADRO DE UN ARTISTA POCO CONOCIDO PERO QUE PARECE TENER PORVENIR?

B/ ¿CÓMO VENDERÍA USTED UNA NUEVA ESPECIE DE PALMERA TROPICAL?

C/ ¿CÓMO VENDERÍA USTED UN NUEVO TELÉFONO CON TELEVISIÓN INCORPORADA PARA VER AL INTERLOCUTOR?

Escoja / entre A,B y C/ el artículo que desee vender. Formen grupos en la clase en función de la diversidad de artículos. Elaboren un decálogo de consejos para su promoción.
Simulen una compra-venta.

3. **Debate**: ¿El fin justifica los medios ?¿Es lícito disfrazar la verdad para conseguir una buena venta?

Ref: CDF/ed.

COMUNICACIÓN INTERIOR

DE DIRECTOR COMERCIAL
ASUNTO:

A DIRECTORES DE ZONA

El lunes pasado nos reunimos en Llanes para discutir la situación por la que atraviesa el mercado nacional, en especial teniendo en cuenta las dificultades que tienen nuestros clientes para conseguir financiación.

Nuestra cuenta de explotación depende de las ventas y de los márgenes, pero junto a ellos hay otros hechos a veces más importantes que éstos, que son los que deciden al final la cuenta de resultados. Los más significativos sin duda alguna son el nivel de *stocks, la cuenta de clientes, los impagados etc. Es decir, todo aquello que supone dinero con su coste correspondiente, ya sea en descuentos o créditos.

En períodos de auge económico, la cuenta de explotación y la de resultados van muy en paralelo, mientras que cuando la oferta es mayor que la demanda, a pesar de tener una buena cuenta de explotación (Margen bruto de la venta), se puede llegar a una mala cuenta de resultados, a no ser que se actúe con mucho rigor de todos y cada uno de los componentes de las existencias y del circulante.

¿ Cuál es nuestra situación actual ?

A diferencia de la competencia, nosotros jugamos con la ventaja de ser una multinacional. Si nuestras ventas en el mercado nacional no llegan a niveles que permitan el punto de equilibrio de la cuenta de explotación, ésta está asegurada con nuestras ventas de exportación y a otras empresas del grupo.

Sin embargo, a pesar de que esta circunstancia permite tranquilizarnos respecto al futuro de Lindsell AB como empresa, no nos libera de nuestra responsabilidad en cuanto a las Ventas Mercado Nacional.

Nuestra tarea debe consistir en conseguir cubrir las cuentas de explotación y de resultados de forma que las exportaciones supongan simplemente beneficios adicionales.

Para conseguir esa mejora en la cuenta de resultados, tenemos que ponernos al trabajo haciendo hincapié en dos puntos:
-Debemos ampliar las actividades que desarrollamos y aumentar la calidad de nuestros trabajos. Las decisiones que se adoptan deben estar basadas en una información extensa y puntual y a la vez que en una coordinación-comprensión positivista, no en la experiencia e intuición.

¿ Es necesario este nuevo enfoque?

Sin duda, puesto que:

-Nuestra empresa necesita mayor estabilidad y proyección de futuro para poder promover los cambios necesarios con el fin de ganar "la confianza del mercado" de la que hoy carecemos.

Frente a la situación difícil por la que atraviesa el mercado, tenemos que aportar a nuestros concesionarios y distribuidores, un volumen de negocio suficiente para que les sea interesante económicamente por una parte, y nos vean claramente como una empresa con la que merece la pena jugar en el presente y apostar en el futuro.

Tenemos, pues, que trabajar con mayor rigor. Espero que en nuestras próximas reuniones podamos ya decidir alguna norma de actuación.

Atentamente:

M. Cavero
Director Comercial

* es decir, "existencias"

COMPRENSIÓN LECTORA

(º) **Después de leer la comunicación interna del director comercial de Lindsell AB ¿podría contestar a las siguientes preguntas?**

1. ¿Cuál es el mensaje principal de esta comunicación interna?

2. ¿Por qué momentos pasa el mercado nacional?

3. ¿Qué es la cuenta de explotación?

4. ¿Qué factores son determinantes para obtener una buena cuenta de resultados?

5. ¿Qué ventaja tiene Lindsell AB frente a la competencia?

6. ¿Qué líneas deberán seguirse para conseguir una mejora en la cuenta de resultados?

7. ¿Por qué son necesarios los cambios que se plantean en la comunicación interna?

COMPRENSIÓN AUDITIVA

El señor Francis Stahl, gerente de la empresa automovilística Renault para España y Portugal, concedió una entrevista al periódico" El País".

La venta de automóviles ha bajado en España un 13,1% y sobre ello le preguntamos al sr. Stahl.

1

Sr. Stahl, ¿cómo se explica que haya caído el mercado más en España que en Europa, habiendo un número de coches inferior por habitante ?

- Escuche la primera pregunta y la respuesta dada por el señor Stahl. A continuación escriba un resumen de la contestación ayudándose de las palabras siguientes:

ventas
aumentar
bajada
superar
crecer

2

¿Es responsable el IVA de la bajada de ventas de coches ?

- Escuche la segunda pregunta y la respuesta dada. A continuación indique si las frases siguientes son verdaderas o falsas.

	VERDADERO	FALSO
a) El IVA es responsable de la bajada de ventas de coches.		
b) El IVA es del 33% en España .		
c) El Gobierno Español quiere reducir el IVA.		
d) En otros países de Europa el IVA es superior.		

3

¿En qué se diferencia el mercado automovilístico Español.

- Escuche la tercera pregunta y la respuesta dada y complétela con las palabras que faltan.

Uno de los .... que han .... mercado automovilístico español en los últimos años ha sido la .... de las ofertas para el cliente: .... en el precio, sobrevaloración del coche usado ....; Renault ha cambiado su .... comercial, eliminando totalmente las .... desde hace cuatro meses.

4

¿Se ha llegado a vender por debajo del precio de coste?

- Escuche la última respuesta y comente brevemente en qué se diferencia el cliente español del de su país.

IMPORTACIÓN
Y
EXPORTACIÓN

5

DIÁLOGO

IMPORTACIÓN/EXPORTACIÓN

Luis Herrera se encuentra con un viejo compañero de Facultad en casa de un amigo común.

Luis: ¡Felicidades, Ángel! Parece ser que ya te has convertido en todo un *agente de aduanas* ¿Cómo te va?

Ángel: Pues ya ves, no te diré que sea un negocio boyante, pero tampoco es una catástrofe.

Luis: Por fin podré comprender todo lo que el viejo doctor Campuzano fue incapaz de explicarnos en la Facultad. ¿Te acuerdas la paliza que nos daba con el *certificado de origen*? Pues todavía no tengo claro qué es.

Ángel: ¡Cómo no vas a tenerlo claro! Simplemente es el *documento* que *legaliza* el *cónsul* en el *punto de embarque* de una *mercancía,* donde consta el origen de la misma, *punto de destino*, número de mercancía etc...
El certificado de origen se presenta en el *punto de descarga* y entonces se aplican las *leyes de aduanas*.

Luis: ¡Ajá! Y ahí es donde entras tú...

Ángel: Pues sí, ya sabes lo que es una *agencia de aduanas*.

Luis: Bueno, si quieres que te sea franco, no mucho, la verdad.

Ángel: ¡Qué desastre! ¡Vaya abogado que estás hecho! La agencia de aduanas es la oficina que se dedica a gestionar todas las *incidencias* relacionadas con la entrada de mercancías en el territorio nacional: el *pago de los derechos*, *reclamaciones* que pueda haber... Te recuerdo que la aduana es el *órgano de la administración* encargado de vigilar el paso de personas y bienes a través de las oficinas que tiene en las *fronteras*. Y me imagino que no habrás olvidado que la función primordial de la aduana es cobrar los *derechos arancelarios e impuestos* a las mercancías *importadas*.

Luis: La idea me es familiar, sí, pero y eso de la *importación temporal* ¿qué es?

Ángel: Ah, es la importación de *materias primas* o *productos semielaborados* que van a incorporarse a *productos nacionales* que van a ser *exportados*. Hay una legislación específica. Ya sabes que según sean los productos importados se les aplican unos *aranceles* u otros. Aquí entra en juego el *derecho internacional*: los *convenios* o *tratados* entre países. Actualmente en muchos casos se aplica el *desarme arancelario*.

Luis: Claro, y supongo que ahora con la CEE tendréis menos trabajo.

Ángel: No te creas, todavía está el *impuesto de compensación*... Pero, dejemos el tema de las aduanas y cuéntame sobre tu vida.

Luis: Es que justamente el tema de las aduanas me interesa muchísimo, porque estoy pensando en montar un pequeño *negocio de importación-exportacion* Es estupendo contar con un amigo agente de aduanas que pueda asesorarme.

VOCABULARIO

A

Agencia de aduanas:
Oficina dedicada al despacho de mercancías en las aduanas. Está representada por un agente.

Agente de aduanas:
Representante de una oficina dedicada al despacho de mercancías en las aduanas. Se ocupa de gestionar todas las incidencias, como el pago de derechos, reclamaciones, etc.

Arancel:
Cantidad que se paga por el derecho a importar o exportar una mercancía.

C

Certificado de origen:
Documento debidamente legalizado por el cónsul del punto de embarque de una mercancía, en el cual se hace constar el origen o procedencia de la misma, el punto de destino y el número y clase de mercancías, con el fin de presentarlo en el punto de descarga a los efectos de aplicación de las leyes de aduanas.

Cónsul:
Persona autorizada en el extranjero para proteger a las personas e intereses de la nación que lo nombra.

Convenio:
Acuerdo entre dos o más partes.

D

Derecho internacional:
Rama del Derecho que regula las relaciones jurídicas internacionales.

Derechos arancelarios:
Cantidad que se paga por el derecho a importar o exportar una mercancía.

Desarme arancelario:
Progresiva reducción de los derechos de aduana.

Documento:
Instrumento escrito que ilustra sobre algún hecho.

E

Exportado:
De exportación. Vender bienes a otro país.

F

Frontera:
Límite territorial del Estado.

I

Importación temporal:
Importación de bienes destinados a ser incorporados a productos nacionales que van a ser exportados.

Importado:
De importar. Comprar bienes en un país procedentes de otro.

Impuestos:
Gravámenes a que están sujetas las mercancías

Impuesto de compensación:
Gravamen de los productos importados para que estén en igualdad de condiciones con los nacionales.

Incidencias:
Hecho que sobreviene en un asunto o negocio, y que tiene sobre él alguna repercusión.

L

Legalizar:
Certificar la autenticidad de un documento o firma por la autoridad legitimada para ello.

Leyes de aduanas:
Normas que hacen referencia al derecho arancelario.

M

Materias primas:
Producto no elaborado que se incorpora en la primera fase del proceso de producción.

Mercancía:
Cualquier producto destinado al consumo sobre el que se puede ostentar la propiedad, sea individual o colectiva.

N

Negocio de importación-exportación:
Actividad empresarial destinada a la compra y venta de productos extranjeros y nacionales.

O

Órgano de la administración:
Unidad administrativa del Estado.

P

Pago de los derechos:
Cantidad que se paga por el derecho a importar o exportar una mercancía.

Producto nacional:
Producto elaborado en el país de que se trate.

Productos semielaborados:
Producto que se incluye en una fase posterior del proceso de producción.

Punto de descarga:
Lugar donde se desembarcan las mercancías.

Punto de destino:
Lugar a donde van destinadas las mercancías.

Punto de embarque:
Lugar desde donde se envían las mercancías.

R

Reclamación:
Petición de algo a lo que se considera tener derecho.

T

Tratado:
Acuerdo (que obliga) entre varias partes.

OBSE**R**VE

No te diré que
sea un negocio boyante.
me haya sorprendido su reacción.
pueda solucionarlo.

Función: Para afirmar dando un rodeo.

● ● ● ● ● ● ● ●

¡Cómo no vas a
tenerlo claro!
saberlo!
tramitar los documentos!

Función: Para indicar sorpresa.

● ● ● ● ● ● ● ●

Si quieres que
te sea franco
te hable sinceramente
te dé mi opinión

Función: Para comenzar una explicación con un rodeo.

● ● ● ● ● ● ● ●

¡Vaya
abogado
comerciante
negociante
que estás hecho!

Función: Para enfatizar coloquialmente.

● ● ● ● ● ● ● ●

Me imagino que
no habrás olvidado la función primordial.
llevarás a cabo esta operación.
sabrás lo que haces.

Función: Para indicar suposición.

● ● ● ● ● ● ● ●

Y eso de
la importancia temporal
la supresión de aranceles
la Unión Aduanera
¿qué es?

Función: Para preguntar sobre algo impreciso.

● ● ● ● ● ● ● ●

Ya sabes que según
sean los productos importados
cumplan las normas
procedan de un país u otro

Función: Para constatar un conocimiento.

● ● ● ● ● ● ● ●

No te creas,
todavía está el impuesto de compensación.
aún no han suprimido las restricciones cuantitativas.
aún habrá más cambios.

Función: Para seguir, coloquialmente, una explicación.

● ● ● ● ● ● ● ●

RECUERDE

El **Presente de Subjuntivo** se usa:

- Cuando en una frase subordinada el verbo de la frase principal expresa voluntad, esperanza, emoción, duda, opinión negativa o consejo.

*¿Quieres que te **sea** franco?*

*Espero que **pongan** música de los 60*

*Dudo que **venga***

- En frases impersonales.

*Es posible que se **haga***

- Después de algunas conjunciones.

*Hablaré con Maribel para que nos **informe***

*Esperaré hasta que **llegue***

MANOS A LA OBRA

Escriba en los espacios en blanco las expresiones siguientes que aparecen en el diálogo de esta unidad:

y eso de................... ¿qué es?

¡vaya....(que) estás hecho!

me imagino que....

ya sabes que según sea....

parece ser que....

no te creas, que.....

no te diré que....

- ....¹................. que a partir del 1 de enero se verá reducido el 70% de la actividad de los agentes de aduana.
- ¿Crees que el impacto será grave para algunos de estos profesionales?
- ....²................. no sea una prueba dura para ellos, pero ya se están buscando fórmulas para adelantarse al futuro.
- ....³................. se intentarán encontrar actividades sustitutivas.
- ....⁴................. la reducción del volumen del negocio, la mayoría de las agencias habrán de reducir personal, por lo que habrá que competir con los mejores puertos de Europa.
- Por cierto,..........⁵........... Ateia..............⁵.................
- Es una asociación de transportistas.
- ¡..........⁶............... experto...........................! Estás al corriente de todo.
- ....⁵................. hay cantidad de detalles que se me escapan.
- Pues mira que a mí........

Sustituya los infinitivos por la persona correcta del presente de subjuntivo.

1. Es imprescindible que la policía (terminar) .... con el contrabando en las costas gallegas.

2. Sr. Gómez, es indispensable que (estar) .... todos los documentos listos para que las mercancías (poder) .... pasar la aduana sin problemas.

3. Este certificado de origen tiene que presentarlo al cónsul para que lo (legalizar) ....

4. ¿Dónde está el agente de aduanas? Es inadmisible que (haber) .... abandonado su puesto.

5. Si quiere usted reclamar por los daños que han sufrido las mercancías, es necesario que (rellenar) .... estos formularios!.

6. Señores, lamento tener que comunicarles que los precios de las materias primas que importamos han subido considerablemente. Es urgente, pues, que (recortar) .... el presupuesto destinado a formación de personal.

7. ¡Es fantástico que (desaparecer) .... las fronteras!

8. Parece ser que en América se está aplicando el desarme arancelario en muchos casos. Creo que es importante que esta práctica (extenderse) .... a más países.

EVOLUCIÓN DE LAS EXPORTACIONES EN LOS PRIMEROS MESES
DEL CORRIENTE AÑO
Cambie el modo del verbo.

1. Durante los tres primeros meses del corriente ejercicio, las exportaciones españolas *han tenido* una evolución bastante favorable.
- Es posible que *hayan tenido* una evolución favorable.

2. Las ventas al exterior han ascendido a 1,52 billones de pesetas.
- Es lógico que ....

3. El déficit comercial se ha reducido.
- No creo que...

4. La tasa de cobertura se ha situado en un 61,12 por ciento.
- Es probable que...

5. El estancamiento experimentado por el consumo interno ha propiciado el frenazo
de las importaciones.
- Es mejor que...

6. Las empresas han tenido que intentar vender fuera los productos que el mercado ya no reclama.
- Es razonable que ....

7. En el primer trimestre el comportamiento de las exportaciones se sitúa cuatro
puntos por encima de las últimas previsiones del Gobierno para el conjunto del
año.
- Es extraordinario que...

LÍNEAS DESORDENADAS

Ordene las líneas siguientes:

El director de la empresa Karol ha

para reducir la producción anual en

la producción de sus factorías

anunciado que en su compañía ha

las plantas de su país e incrementar

puesto en marcha un plan estratégico

situadas en otros lugares de Europa.

MANOS A LA OBRA

 VIENTO EN POPA

Construya textos con sentido relacionando ambas columnas.

1. Durante los tres primeros meses del corriente ejercicio.

2. lo que ha ayudado a paliar

3. Las ventas al exterior

4. con un incremento del 12,2%

5. Este hecho, junto con el estancamiento de las importaciones

6. De la misma forma, la tasa de cobertura

7. Falta saber si la sensible mejoría de la balanza comercial

a) es algo conyuntural.

b) las exportaciones han tenido una evolución bastante favorable,

c) ha hecho que el déficit comercial se haya reducido.

d) el déficit comercial.

e) se ha situado en un 61,12%.

f) han ascendido a 1,52 billones de ptas,

g) sobre el mismo período del año anterior.

● ● ●

MANOS A LA OBRA

Bla

Bla

Bla.

EN LA DISCOTECA

Escriba los verbos entre paréntesis en la forma correcta del subjuntivo.

Luis y Ángel han decidido acabar la reunión en "Manhattan".

Luis: *Espero que (poner) ....1............. música de los 60, es fantástica para bailar.*

Ángel: *¡Ah! pero, ¿tú bailas?*

Luis: *En realidad no, pero me gusta imaginarme cómo debía de ser esa época.*

Ángel: *Me encanta que (seguir) ....2............ siendo tan soñador, yo soy más práctico. ¡Mira! ¿no es ésa Isabel?*

Luis: *No creo que lo (ser) ....3......................, Isabel era morena y además tenía otro estilo.*

Ángel: *Es posible que (cambiar) ....4................, espera, cuando (acercarse) ....5........ más lo sabremos con más seguridad.*

Luis: *Dudo que (venir) ....6................... hacia aquí, parece muy animada hablando con aquel calvo.*

Ángel: *No me gusta que (hablar) ....7............... de calvos, ¿te has fijado bien en mi coronilla?*

Luis: *¡No (preocuparse) ....8................! A mí me pasaba lo mismo hasta que mi dermatólogo me dio una solución. ¿Quieres que te (dar) ....9..................... su número de teléfono para que te (ver) ....10.............?*

Ángel: *Bueno, gracias, no es que (preocuparse) ....11.......... mucho, pero tampoco me gustaría acabar como aquel.*

Luis: *Oye, hablando del calvo, ¿no es Juan Gómez el número uno de nuestra promoción?*

Ángel: *Quizás lo (ser) ....12............ pero, no fue con Isabel con quien se casó y no creo que (estar) ....13.............. con ella por casualidad.*

Luis: *¡Mira! nos están haciendo señas. Ahora lo averiguaremos. Te apuesto lo que (querer) ....14.............. a que aquí hay gato encerrado.*

Bla Bla Bla.

ACTIVIDADES

1. ¿CÓMO CONSEGUIR SER...?

¿CÓMO CONSEGUIR SER EL CONTRABANDISTA DEL AÑO?

Aquí hay una lista de artículos que carecen de licencia de importación en su país. Escoja uno y explique cómo lo introduciría sin ser descubierto:

- maquinillas eléctricas para depilar.
- semillas de una nueva variedad de palmera tropical.
- una nueva y revolucionaria loción crecepelo.

¿CÓMO CONSEGUIR SER EL AGENTE DE ADUANAS DEL AÑO?

Usted es un sagaz y ambicioso agente de aduanas. Han llegado a sus oídos rumores de que un importante contrabandista pretende pasar alguno de los productos indicados arriba. ¿Qué medios tomaría para evitar que lo consiga?

¡Elijan el papel que deseen jugar y simulen un encuentro en la frontera entre el contrabandista y el agente de aduanas!

2. Explique a su compañero qué productos importa y exporta su país. Compare esos productos con los que importa o exporta el país de su compañero. ¿Hay alguna interrelación? ¿Dependen ambos países de un tercer país productor?

3. **Debate**: ¿Proteccionismo o libertad de comercio?

LA INCONSTANCIA ARRUINA A LOS EXPORTADORES ESPAÑOLES

Las empresas españolas, en su mayoría pymes, son flexibles para adaptarse a los mercados exteriores. Pero con frecuencia se estrellan por falta de constancia en el seguimiento de sus contactos iniciales.

Las exportaciones han sido el motor del crecimiento económico de España durante los últimos años. Pero a muchas empresas todavía les falta una cultura empresarial exportadora. Hay honorables excepciones, pero uno de los defectos más perjudiciales es la falta de continuidad en las gestiones para abrir mercado en otros países.

La responsable del departamento internacional de la patronal catalana Fomento del Trabajo, resume las barreras a la exportación en un elemento externo -"nos falta imagen de marca"- y en otro interno: "Cuesta hacer el seguimiento de una operación; así se pierden muchas oportunidades. Hay demasiada informalidad".

También se refiere a las diferencias culturales con otros países, al miedo a salir y a los problemas puntuales de algunas regiones.

No se valora "lo costoso que resulta abrir un mercado en otro país, lo fácil que es perderlo y que resulta imposible recuperarlo", según el responsable de promoción exterior de la Cámara de Comercio de Girona. Por este motivo, desde la Cámara se recomienda ser constante y perseverante en los mercados que se consideran interesantes.

Misión especial

Las trece cámaras catalanas se han mostrado particularmente activas en la organización de misiones a otros países.

[...]
La mayor parte de sus proyectos han sido subvencionados por el Consorcio de Promoción Comercial de Cataluña (Copca). [...]

El tamaño modesto de las empresas españolas les permite ser más elásticas que sus competidores de otros países europeos. Pueden adaptar los programas de fabricación a los pedidos y hacen lo imposible para cumplir los plazos.

Aunque la situación de la peseta ha hecho que los productos españoles sigan siendo atractivos por su precio, en algunas ocasiones la calidad es inferior a la de sus competidores.

El responsable de las misiones comerciales de la Cámara de Comercio de Barcelona señala el buen diseño de los productos de moda y regalo entre los activos de las empresas españolas. "Pero como Taiwán y Corea han alcanzado niveles de calidad similares a los nuestros, su competencia es cada día más acuciante [...].

Problemas locales

Cada país tiene sus propios riesgos. [...] En el Este de Europa resulta difícil garantizar pagos y hay que competir con firmas alemanas muy asentadas. Los sectores que más entrada han tenido en esa zona de Europa son los de piel, papel y mobiliario, que compiten principalmente con empresas italianas.

Japón es un ejemplo de mercado difícil, pero

COMPRENSIÓN LE**C**TORA

donde hay que insistir. Fomento va allí todos los años aprovechando el acuerdo que tiene con una patronal de Osaka.

[...]

Israel pide exclusividad en la distribución de productos.

Estas salidas son una puerta más para que las empresas conozcan las reglas y procedimientos de ventas en mercados donde se necesita algo más que buen precio y cumplir unos estándares para vender de forma continua.

Adaptado de Expansión

VIRTUDES... ... Y DEFECTOS

1. Fiabilidad y cumplimiento de plazos.
2. Respeto de las reglas del juego.
3. Posibilidad de adaptarse mejor a las exigencias de los clientes en muy poco tiempo por tener un tamaño menor que los colegas extranjeros.
4. Capacidad de sacrificio para alcanzar las metas marcadas.
5. Buen diseño de productos de moda y regalo.

1. Falta de seguimiento: la anarquía hace que a veces no se responda a los faxes que piden precios.
2. Cultura empresarial de salir fuera cuando flojea el mercado interior.
3. Falta formación y sobran prejuicios como éste: "¿Qué me van a enseñar estos tíos si llevo un montón de años fabricando este producto?".
4. "Cortoplacismo".
5. Falta imagen de marca.

Adaptado de Expansión

1. ¿Cuáles son los principales obstáculos a la exportación?

2. ¿Qué es una misión? ¿Qué organismos las subvencionan?

3. ¿Qué ventajas tienen las PYMES españolas frente a otras empresas extranjeras?

4. ¿Qué ejemplos concretos se citan para ilustrar los riesgos propios de cada país?

5. ¿Podría usted elaborar un cuadro similar al del artículo señalando las virtudes y los defectos propios de la exportación en su país?

ENTREVISTA A JUAN Mª TORRES, DE LA EMPRESA VINÍCOLA MIGUEL TORRES

El Sr. Juan Mª Torres, de la empresa vinícola española Miguel Torres S.A., empresa líder en el sector, tanto en comercio interior como exterior, nos concedió la siguiente entrevista:

1

Sr. Torres, ¿podría decirnos cuál ha sido su estrategia a lo largo de estos años?

- Escuche la primera pregunta formulada al sr. Torres y su respuesta y tome nota de todo lo que entienda.

2

¿Ha cambiado ahora?

- Escuche la segunda pregunta y la respuesta. A continuación escriba un resumen, ayudándose de las palabras siguientes:

controlar
producir
retirar
investigar
superar
pioneros
relación directa

3

Para entrar en otros países ¿con qué barreras se encuentran?

- Escuche la tercera pregunta y la respuesta dada por el sr. Torres. A continuación indique si las frases siguientes son verdaderas o falsas.

a) Los aranceles en EEUU son muy bajos.

b) Algunos países, como Corea, son muy favorables a la importación.

c) Lo más fácil fue romper las barreras culturales.

d) Tradicionalmente, se creía que el vino francés tenía una calidad superior a la del español.

VERDADERO	FALSO

4

Usted ha dicho que Torres es una empresa familiar ¿Va a cambiar?

- Escuche la última pregunta y su respuesta y complete las palabras que faltan.

No, aunque ahora .... habido cambios en la administración, ya que el puesto de mi padre como ...., ha sido sustituido por un .... de gobierno formado por .... , ...,........ .... , ..., no tenemos .... de cambiar.
No vamos a cotizar en bolsa, por ejemplo. No vamos a .... dinero prestado. Todo eso sería salir de nuestro concepto de empresa .... Vamos a .... creciendo dentro de nuestras .... propias.

CÁMARAS DE COMERCIO

LA BANCA

LA BOLSA

LOS IMPUESTOS

NEGOCIACIONES

CÁMARAS DE COMERCIO

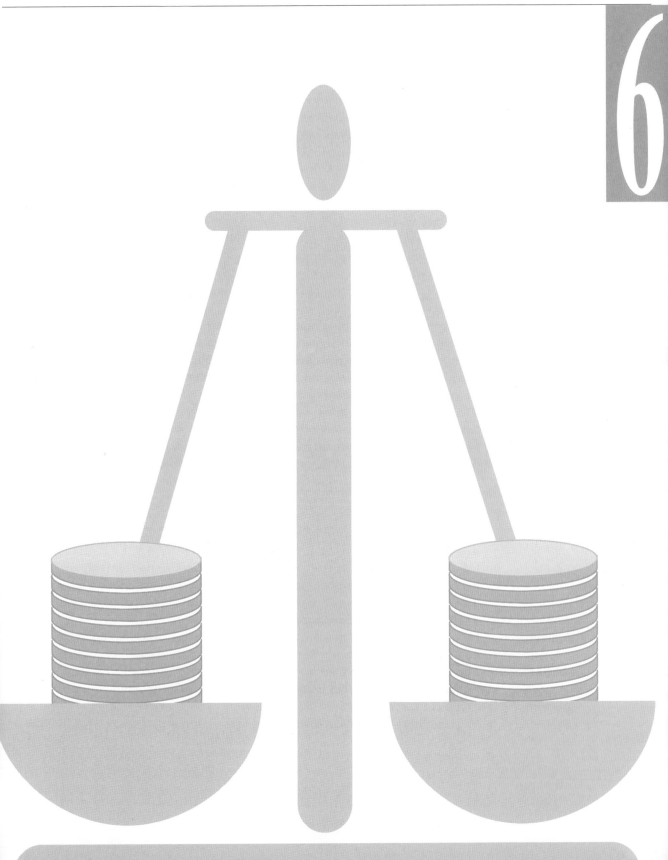

6

DIÁLOGO

Agustín Ferrer, joven *gestor* de una empresa familiar, habla con el director.

Agustín: Papá, ¿tienes un momento? Ya ha salido la *Ley de Presupuestos* de este año. Concha está haciendo la fotocopia del *BOE*.

Sr. Ferrer: Perfecto. ¿Sabes ya cuál es la *cuota* que tenemos que pagar este año a la *Cámara de Comercio*?

Agustín: El 1,7% de los *beneficios*.

Sr. Ferrer: ¿Qué dices? Será el 1,7% del 35% de los beneficios, supongo. Intenta expresarte con más exactitud, Agustín, por favor; que desde que trabajamos juntos voy de susto en susto. De todas formas es una buena cantidad. Y con eso de la *obligatoriedad de la adscripción* a la Cámara, no hay forma de evitar el pago. En fin, menos mal que a cambio recibimos algunos *servicios*.

Agustín: Sí, hay que reconocer que cuando creaste esta nueva empresa, dejaste en manos de la Cámara todos los *trámites administrativos* y no tuviste ningún problema.

Sr. Ferrer: Bueno, bueno, yo también puse de mi parte. Pero sí, es cierto. Y también nos beneficiamos de las ferias que organizan. El año pasado pudimos *promocionar* nuestros maceteros en casi toda Europa. A propósito, deberías ponerte en contacto con la Cámara para obtener los *cuadernos ATA* de las muestras que vamos a enviar a Holanda.

Agustín: Es verdad. Voy a anotarlo para no olvidarme, y de paso le pediré que gestionen todo lo relativo al *certificado de origen* para la *remesa* que enviamos a Bélgica el próximo mes. Por cierto, ¿sabes que la última vez que estuve en la Cámara me enteré por medio de la *euroventanilla* que Juanjo López está buscando socio?

Sr. Ferrer: ¡Pues compadezco a quien acepte serlo! Una vez estuve a punto de poner capital en un supuesto negocio de calzado, que según decía Juanjo iba viento en popa. Menos mal que por casualidad consulté el *censo* de empresas que tiene la Cámara por actividades y vi que ni siquiera constaba ahí el negocio. Este hombre roza los límites de la ilegalidad.

Agustín: ¿Te das cuenta de cuántos servicios ofrece la Cámara? Si piensas que además cada año publica una *memoria anual* con *estadística* reciente y que ofrece *cursos de formación* a empresarios, el 1,7% no parece excesivo.

Sr. Ferrer: No, si yo no digo que la Cámara no funcione bien. Especialmente en todo lo que se refiere a promocionar el *comercio interior y exterior* no tengo ninguna queja. Pero vas sumando el 1,7% de ahí, el 3% de allá... y a fin de año no te queda ni para pagar el alquiler del local.

Agustín: No exageres, papá. Además, ahora que el nuevo *presidente* de la Cámara es amigo tuyo, incluso podrás conseguir que se cree algún servicio nuevo.

Sr. Ferrer: Eso no, pero como la Cámara es también *órgano consultivo* de la Administración, intentaré convencerlo de que presente algunas *propuestas*.

Agustín: ¿Qué propuestas?

Sr. Ferrer: Vamos a comer y te las explico.

VOCABULARIO

A

Administrativo:
Referente a la organización burocrática.

Adscripción:
Inscripción.

B

Beneficio:
Resultado de deducir de los ingresos de la empresa en un determinado período todos los costes y gastos devengados durante el mismo, si es positivo.

BOE:
Boletín oficial del Estado.

C

Cámara de Comercio:
Institución con personalidad jurídica propia que promueve y representa los intereses comerciales e industriales de las empresas de su provincia.

Censo:
Lista de la población realizada por la Administración, que aporta una gran información estadística (edades, estudios, profesiones).

Comercio Exterior:
Relaciones de intercambio de bienes y servicios de un país con el resto del mundo.

Comercio interior:
Comercio entre un comprador y vendedor residentes en el mismo país.

Cuadernos ATA:
Permiso de exportación temporal, con fines de demostración.

Cuota:
Cantidad que se paga por un servicio periódico o por pertenecer a una asociación.

Cursos de formación:
Cursos para ampliar los conocimientos sobre una materia determinada.

E

Estadística:
Conjunto de datos numéricos que representan de forma fiable y completa una actividad.

Euroventanilla:
Servicio de información de la Cámara de Comercio, sobre la situación de empresas europeas.

G

Gestor:
Persona responsable del control, contratación y administración de los seguros, coberturas y estimación de riesgos en una empresa o institución.

L

Ley de Presupuestos:
Ley que anualmente aprueba los gastos e ingresos del sector público.

M

Memorial anual:
Informe que recoge los estados financieros contables de la empresa.

O

Obligatorio:
Lo que ha de cumplirse necesariamente o puede exigirse judicialmente.

Órgano consultivo:
Órgano que ejerce una función de consulta.

P

Promocionar:
Dar publicidad, o promover algo.

Presidente:
Persona que dirige las reuniones de un consejo o junta. Es la cabeza visible de la sociedad.

Propuesta:
Proposición o idea que se manifiesta y ofrece a uno para su fin.

R

Remesa:
Todo lo que se envía a la vez.

S

Servicios:
Utilidades que se ofrecen al público.

T

Trámite:
Cada una de las diligencias que hay que efectuar en un negocio o en un procedimiento judicial hasta el momento de su financiación.

OBSE**R**VE

De todas formas,
es una buena cantidad.
es mejor que te aconseje.
hay que promover la actividad económica.

Función: Para rechazar una objeción.

● ● ● ● ● ● ● ● ●

No hay forma de
evitar el pago.
promover la inversión industrial.
garantizar el servicio.

Función: Para indicar imposibilidad.

● ● ● ● ● ● ● ● ●

Menos mal que
a cambio recibimos unos servicios.
se proponen ampliar las instalaciones.
van a mejorar la calidad de sus productos.

Función: Para expresar alivio.

● ● ● ● ● ● ● ●

A propósito,
deberías ponerte en contacto con la Cámara.
¿te has enterado del nuevo nombramiento?
¿le interesaría asistir a ese congreso?

Función: Para introducir una información o pregunta.

● ● ● ● ● ● ● ● ●

¿Te das cuenta de
cuántos servicios ofrece la Cámara?
que el número de participantes aumenta de año en año?
que aún no sabemos la fecha exacta de la reunión?

Función: Para llamar la atención sobre algo.

RECUE**R**DE

El **Imperfecto de Subjuntivo** se usa:

- En frases condicionales con idea de imposibilidad o irrealidad.
*Si te **hiciera** caso en todo, tampoco sería normal.*

- Después de"ojalá", cuando se expresa un deseo imposible o muy difícil de alcanzar.
*Ojalá me **escucharas** cuando te hablo.*
*Ojalá **tuviera** tu edad.*

- En frases subordinadas que necesitan subjuntivo y el tiempo del verbo principal es un indefinido o imperfecto o condicional.
*Me gustaría que lo **olvidaras**.*
*No creía que **tuviera** razón.*

MANOS A LA OBRA

Busque en las frases de la columna de la derecha las que significan lo mismo que las frases de la columna de la izquierda.

1. De todas formas

2. No hay forma

3. Menos mal

4. A propósito

5. ¿Te das cuenta de...

a) Por cierto

b) A menudo

c) ¿Notas que...

d) Por suerte

e) De cualquier modo

f) En cualquier circunstancia

g) Es imposible

h) No hay manera

i) Lo peor es

j) Efectivamente.

ANTONI NEGRE, ABOGADO Y FINANCIERO

Escriba el verbo en la forma correcta.

Sus dos abuelos (ser) ....1.......... corredores de comercio. Su padre y uno de sus hermanos, agentes de cambio y bolsa. Antoni Negre (estudiar) ....2........ en los jesuitas de Caspe, fue el número uno de su promoción en la Facultad de Derecho y (iniciarse) ....3......... en los negocios a los 27 años dentro del grupo familiar, Pendelástica Española, donde (ser) ....4....... consejero delegado durante 10 años.

El inquieto Negre (compaginar) ....5........ la actividad empresarial con su bufete de abogado. (Ser) .....6...... secretario del consejo de SKF y responsable de la integración de las filiales del grupo en España.

Con el tiempo, su dedicación a actividades financieras (ser)........7....... in crescendo: Desde 1976 y durante siete años (dirigir).......8........ el Banco de Vizcaya en Cataluña. En 1983 (ser) ....9........... nombrado presidente de Banca Catalana por el "pool" de bancos que (liderar) ....10......... el Vizcaya con la misión de pilotar el despegue del banco tras su fuerte crisis.

El 11 de abril de 1991 fue nombrado presidente de la Cámara de Comercio de Barcelona.

MANOS A LA OBRA

LAS FERIAS, LUGAR DE ENCUENTRO

Relacione

1. Cada vez menos profesionales dejan de...

a) de las 1000 que se realizan anualmente en EE.UU.

2. El 33% de los contactos comerciales...

b) presentan sus productos anualmente en Europa.

3. El número de ferias en Europa está lejos...

c) asistir a los certámenes feriales si quieren vender o comprar un producto.

4. Sin embargo, la Comunidad Europea recoge...

d) acuden a las ferias europeas.

5. generando un volumen de negocio...

e) se realizan en las ferias.

6. Unos 500.000 expositores...

f) para los hoteles, restaurantes o compañías aéreas.

7. Unos 75 millones de visitantes

g) el 60% de todas las actividades feriales del mundo,

CÓMO EVITAR ERRORES AL CREAR UNA EMPRESA

Busque el verbo correspondiente de todos los sustantivos subrayados.

Hace unos años se creó un programa específico de autoempleo para Barcelona, respondiendo así a la creciente demanda sobre creación de empresas en la ciudad.

Pese a la gran generación de empresas se cree que sólo una tercera parte logra cerrar el tercer ejercicio. Se calcula, a grandes rasgos, que de cien iniciativas empresariales, 70 se ponen en marcha y transcurridos tres años sobreviven sólo 35.

Se cree que una de las causas principales que llevan al fracaso es la falta de personalidad adecuada del emprendedor, en la que la faceta de asumir riesgos debe predominar como rasgo principal.

Al departamento de creación de empresas de la Cámara de Comercio de Barcelona acuden muchos emprendedores para recibir orientación sobre los medios e instrumentos de gestión, información sobre las obligaciones y trámites legales inherentes en la constitución de la empresa, información sobre las ayudas oficiales.......

Según una encuesta que este organismo realiza mensualmente, la financiación es el tipo de consulta más frecuente en los despachos de la Cámara de Comercio.

MANOS A LA OBRA

B l a

B l a

B l a.

EN EL MESÓN BRAULIO

Sustituya los verbos en infinitivo por la persona correcta del imperfecto o pluscuamperfecto de subjuntivo.

Sr. Ferrer: *Ya te dije el otro día que (tú) no (pedir) ......1........ habas en los restaurantes, que son muy indigestas. Y tú, como siempre, sin hacerme caso.*

Agustín: *Si te (hacer) ......2.......... caso en todo, tampoco sería normal. Y además la experiencia no se hereda.*

Sr. Ferrer: *Sí, pero la empresa sí que quieres heredarla. Ojalá me (escuchar) ....3......... cuando te hablo de negocios. Insististe en que (nosotros)(comprar) ......4....... aquellas acciones y ya ves el resultado.*

Agustín: *Eso pasó hace más de cinco años. Ahora ya hemos recuperado el dinero. Me gustaría que lo (olvidar) ....5.......*

Sr. Ferrer: *Sí, pero si no (haber invertido) (nosotros) .....6....., los intereses del banco nos habrían dado más.*

Agustín: *Todo el mundo sabe que el dinero en el banco es dinero muerto. A veces es necesario correr riesgos.*

Sr. Ferrer: *No quisiera recordártelo, pero y ¿cuándo quisiste que (nosotros) (adquirir) ....7......... aquel solar? Luego se descubrió que iban a expropiarlo.*

Agustín: *¿Y si (nosotros) (dejarlo) ....8...........?*

Sr. Ferrer: *Sí, tienes razón. Hablemos de otra cosa. ¿Qué tal Paquita?*

Agustín: *Ya sabes que no me gusta. ¡Si al menos (ser) .....9...... simpática...! Pero es que no tiene ninguna gracia.*

Sr. Ferrer: *Pues los millones de su padre sí que tienen gracia. ¡Ojalá (tener) (yo) ....10.............. tu edad!*

Agustín: *Sí, claro, por eso escogiste a mamá, aunque el abuelo te prohibió que (casarte) ....11......... con ella.*

Sr. Ferrer: *Es que el abuelo era un anticuado. No soportaba que yo (poder) ....12......... tener ideas propias.*

Agustín: *¿Y yo puedo tenerlas?*

Bla Bla Bla.

ACTIVIDADES

1 - Después de haber leído la opinión de los encuestados sobre las cámaras de comercio, comente con sus compañeros con qué postura se siente más identificado.

ENCUESTA

¿Para qué cree usted que sirven las cámaras de comercio?

JOSEP LLUÍS JOVÉ

La Cámara es, y deberá ser, el órgano canalizador de los intereses del comercio, industria y otros servicios ante las administraciones, y de su expansión hacia mercados exteriores.

MANEL ALGUERÓ

Desde su origen medieval en Cataluña, ya defendían los intereses de los pequeños y grandes empresarios ante la administración pública y privada.

JOAN GASPART

Para promover la actividad económica y el respeto de los intereses del empresario. Deseo que la de Barcelona sea uno de los principales ejes vertebradores de la sociedad civil.

ANTONI NEGRE

Las cámaras sirven para actuar en defensa de los intereses colectivos empresariales y como órgano de consulta de la Administración en temas económicos y empresariales.

A. DE P. ESCURA

Se ponen al servicio de los empresarios, asegurándoles la modernidad con la evolución a un cambio de estructuras y mentalidad y facilitando su armónica integración en la UE.

FRANCISCO LLOVET

Como aglutinante de los empresarios, debe ejercer entre todos sus miembros, de cara a la Administración y la UE, una ayuda eficaz en todas sus necesidades en continua evolución.

Adaptado de la *La Vanguardia*

ACTIVIDADES

2 - Quiere usted enviar muestras de un nuevo producto a una Feria Internacional que se celebra fuera de su país. Rellene el siguiente impreso:

FORMULARIO DE SOLICITUD DE CUADERNO ATA

SR. SECRETARIO DE LA CÁMARA OFICIAL DE COMERCIO DE..

El abajo firmante, D. ....

en nombre propio / de la empresa...N.I.F o D.N.I.........................

con domicilio...Teléfono........................

en la que ostenta el cargo de...solicita de esta Corporación, de su digna presidencia, le sea expedido un

Cuaderno ATA, acogido al Convenio de:

MATERIAL PROFESIONAL ☐ FERIAS Y EXPOSICIONES ☐ MUESTRAS COMERCIALES ☐

(Señálese con una cruz el recuadro correspondiente al Convenio aplicable).

a beneficio del material que en relación al dorso se detalla y cuyo valor comercial se indica, del cual es propietaria la persona o entidad solicitante.

El cuaderno interesado debe ser valedero para los siguientes países:

EN DESTINO..................... ....

....

EN TRÁNSITO.....................

(Cuando deba utilizarse el cuaderno para más de una entrada en el mismo país, indíquese el número de entradas a continuación del nombre del país).

La Empresa o persona solicitante estará representada por..

.................**(Cítese los datos personales del encargado de utilizar el Cuaderno ATA en las Aduanas).**

A tales efectos, el abajo firmante se compromete, en nombre propio o de la Empresa que representa, a:

1º Repatriar el material que se indica dentro de los plazos autorizados.

2º Cumplir lo ordenado, para la utilización de los Cuadernos ATA, por las Administraciones aduaneras españolas y de los países de destino o tránsito visitados con el material en cuestión.

3º Satisfacer a la Administración aduanera del país de importación de dicho material, en caso de venta, cesión, abandono, pérdida, robo, destrucción fortuita, omisión del registro aduanero de reexportación, registro aduanero de reexportación de fecha posterior al plazo autorizado para la importación temporal, etc..., el importe de los derechos de entrada y otras tasas correspondientes en vigor, o bien,

4º Reembolsar a la Cámara de todas las sumas que, en concepto de derechos aduaneros y tasas deba abonar con motivo del Cuaderno ATA solicitado y de cuantos gastos le origine la cancelación definitiva de este documento.

5º Devolver a la Cámara el Cuaderno, para su regularización, dentro de los treinta días siguientes a su caducidad o antes si no les es ya necesario. En garantía de este Compromiso, el abajo firmante se declara conforme en entregar a la Cámara:

☐ UN AVAL DE UN BANCO, o   ☐ OTROS

☐ UN DEPÓSITO EN METÁLICO, u

por suma en consonancia con el valor del material beneficiado, estimada suficientemente por la Cámara, para responder de las reclamaciones de aduanas extranjeras que puedan derivarse del uso de este Cuaderno ATA, según lo previsto en el artículo 6º del Convenio Aduanero sobre Cuadernos ATA de 6 de diciembre de 1961.

Cuando una garantía haya sido entregada, ésta será reintegrada por la Cámara o, en su caso, se entenderá cancelada, cuando dicha Corporación regularice el Cuaderno ATA expedido.

....de..........................de.............

EL SOLICITANTE,

(Firma y sello de la Empresa)

NOTA IMPORTANTE:

La Entidad emisora del cuaderno declina toda responsabilidad por las dificultades que pudieran producirse en el caso de que las autoridades aduaneras, españolas o extranjeras, juzgasen insuficiente el valor declarado para el material.

DILIGENCIAS DE EMISIÓN (A rellenar por la Cámara)

Esta CÁMARA OFICIAL DE COMERCIO DE..., de acuerdo con la anterior petición, emite

el CUADERNO ATA núm....................................., expedido el.., con validez

hasta el............................... conteniendo.............. juegos de valores amarillos................... juegos

de volantes blancos.................. juegos de volantes azules y.............. hojas complementarias a la lista general

de mercancías.

El titular ha presentado en garantía..

EL SECRETARIO, P.D.

DILIGENCIAS DE REGULARIZACION:

El cuaderno nº...............................ha sido regularizado provisionalmente con fecha de hoy, y devuelta la

garantía.

En..

El Delegado de la Cámara.

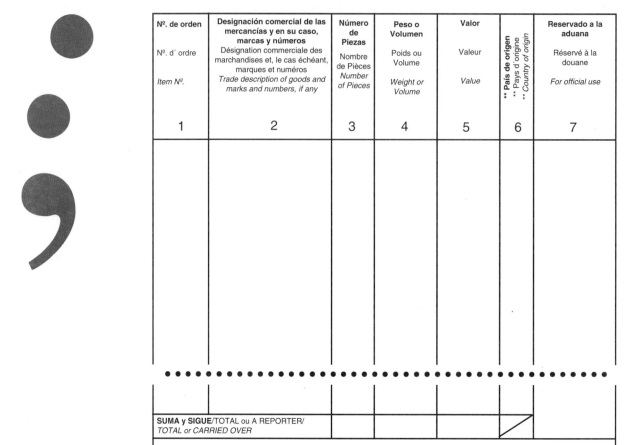

Nº. de orden Nº. d´ ordre Item Nº. 1	Designación comercial de las mercancías y en su caso, marcas y números Désignation commerciale des marchandises et, le cas échéant, marques et numéros *Trade description of goods and marks and numbers, if any* 2	Número de Piezas Nombre de Pièces *Number of Pieces* 3	Peso o Volumen Poids ou Volume *Weight or Volume* 4	Valor Valeur *Value* 5	** País de origen ** Pays d´origine ** Country of origin 6	Reservado a la aduana Réservé à la douane *For official use* 7
SUMA y SIGUE/TOTAL ou A REPORTER/ *TOTAL or CARRIED OVER*						

CUADERNOS ATA
OBSERVACIONES A TENER EN CUENTA

Casilla 1   Cada mercancía deberá ir consignada bajo un número de orden correlativo, empezando por el 1.
Se pueden agrupar mercancías a las que corresponda la misma designación y que tengan el mismo valor y peso.

Casilla 2   Debe especificarse la designación comercial de las mercancías, sus marcas, modelo, serie, etc., y cuantos datos sirvan para su fácil identificación por las Aduanas.

Casilla 3   Número de unidades.

Casilla 4   Se exige indicar el peso neto de cada artículo o grupo de artículos. En el caso de joyería y bisutería fina es obligatorio indicar el peso de la mercancía.

Casilla 5   Menciónese el valor de cada partida, en pesetas. El valor debe ser el que tendría la mercancía caso de ser vendida en el extranjero. La Cámara declina toda responsabilidad por las dificultades que puedan producirse en el caso de que cualquier autoridad aduanera juzgase insuficiente el valor declarado.
Al finalizar DEBERÁN TOTALIZARSE LAS COLUMNAS NUMS. 3, 4 y 5.

Casilla 6   Si el origen es España, déjese en blanco. Si el origen es otro, menciónese el mismo, con las siglas correspondientes a la nomenclatura ISO (ver el reverso).

Casilla 7   Déjese en blanco.

9-   Si la relación excede del espacio previsto, pida segundas hojas o habilítelas fotocopiando este mismo impreso.

10-   Una vez expedido el documento, la Designación de la Mercancía deberá ser redactada en español. Las Autoridades aduaneras extranjeras podrán exigir una traducción al inglés, francés o idioma del país.

NOTA: EL IMPRESO DEBERÁ CUMPLIMENTARSE A MÁQUINA.

ACTIVIDADES

NOMENCLATURA INTERNACIONAL DE PAÍSES DE LAS NACIONES UNIDAS ISO.

AFGHANISTAN	AF	GIBRALTAR	GI	PAKISTAN	PK
ALBANIA	AL	GILBERT& ELLICE ISLANDS	GE	PANAMA	PA
ALGERIA	DZ	GREECE	GR	PANAMA CANAL ZONE	PZ
AMERICAN SAMOA	AS	GREENLAND	GL	PAPUA NEW GUINEA	PG
ANDORRA	AD	GRENADA	GD	PARAGUAY	PY
ANGOLA	AO	GUADELOUPE	GP	PERU	PE
ANTARCTICA	AQ	GUAM	GU	PHILIPPINES	PH
ANTIGUA	AG	GUATEMALA	GT	PITCAIRN ISLAND	PN
ARGENTINA	AR	GUINEA	GN	POLAND	PL
AUSTRALIA	AU	GUINEA BISSAU	GW	PORTUGAL	PT
AUSTRIA	AT	GUYANA	GY	PORTUGUESE TIMOR	TP
BAHAMAS	BS	HAITI	HT	PORTUGUESE	TP
BAHRAIN	BH	HEARD AND MCDONALD ISLANDS	HM	PUERTO RICO	PR
BANGLADESH	BD	HONDURAS	HN	QATAR	QA
BARBADOS	BB	HONG KONG	HK	REUNION	RE
BELGIUM	BE	HUNGARY	HU	ROMANIA	RO
BELIZE	BZ	ICELAND	IS	RWANDA	RW
BERMUDA	BM	INDIA	IN	ST HELENA	SH
BHUTAN	BT	INDONESIA	ID	ST KITTS-NEVIS-ANGUILLA	KN
BOLIVIA	BO	IRAN	IR	ST LUCIA	LC
BOTSWANA	BW	IRAQ	IQ	ST PIERRE & MIQUELON	PM
BOUVET ISLAND	BV	IRELAND	IE	ST VINCENT	VC
BRAZIL	BR	ISRAEL	IL	SAN MARINO	SM
BRITISH ANTARC.TERRIT.	BQ	ITALY	IT	SAO TOME & PRINCIPE	ST
BRITISH INDIAN OCEAN TER.	IO	IVORY COAST	CI	SAUDI ARABIA	SA
BRITISH SOLOMON ISLAND	SB	JAMAICA	JM	SENEGAL	SN
BRITISH VIRGIN ISLANDS	VG	JAPAN	JP	SEYCHELLES	SC
BRUNEI	BN	JOHNSTON ISLAND	JT	SIERRA LEONE	SL
BULGARIA	BG	JORDAN	JO	SIKKIM	SK
BURMA	BU	KENYA	KE	SINGAPORE	SG
BURUNDI	BI	KHMER REPUBLIC	KH	SOMALIA	SO
BYELORUSSIAN SSR	BY	KOREA,DEM. PEOPLE'S REP. OF	KP	SOUTH AFRICA	ZA
CAMEROON	CM	KOREA,REPUBLIC	KR	SOUTHERN RHODESIA	RH
CANADA	CA	KUWAIT	KW	SPAIN	ES
CANTON&ENDERBURY ISLAND	CT	LAOS	LA	SRI LANKA	LK
CAPE VERDE ISLANDS	CV	LEBANON	LB	SUDAN	SD
CAYMAN ISLANDS	KY	LESOTHO	LS	SURINAM	SR
CENTRAL AFRICAN REPUBLIC	CF	LIBERIA	LR	SVALBARD & JAN MAYEN ISL	SJ
CHAD	TD	LIBYAN ARAB REPUBLIC	LY	SWAZILAND	SZ
CHILE	CL	LIECHTENSTEIN	LI	SWEDEN	SE
CHINA	CN	LUXEMBOURG	LU	SWITZERLAND	CH
CHRISTMAS ISLAND	CX	MACAO	MO	SYRIA	SY
COCOS (KEELING) ISLANDS	CC	MADAGASCAR	MG	TAIWAN (PROVINCE OF)	TW
COLOMBIA	CO	MALAWI	MW	TANZANIA	TZ
COMORO ISLANDS	KM	MALDIVES	MV	THAILAND	TH
CONGO	CG	MALI	ML	TOGO	TG
COOK ISLANDS	CK	MALTA	MT	TOKELAU ISLAND	TK
COSTA RICA	CR	MARTINIQUE	MQ	TONGA	TO
CUBA	CU	MAURITANIA	MR	TRINIDAD & TOBAGO	TT
CYPRUS	CY	MAURITIUS	MU	TUNISIA	TN
CZECHOSLOVAKIA	CS	MEXICO	MX	TURKEY	TR
DAHOMEY	DY	MIDWAY ISLANDS	MI	TURKS & CAICOS ISLANDS	TC
DENMARK	DK	MONACO	MC	UGANDA	UG
DOMINICA	DM	MONGOLIA	MN	UKRANIAN SSR	UA
DOMINICAN REPUBLIC	DO	MONTSERRAT	MS	UNION OF SOVIET SUC. REP.	SU
DRONNING MAUD LAND	NQ	MOROCCO	MA	UNITED ARAB EMIRATES	AE
ECUADOR	EC	MOZAMBIQUE	MZ	UNITED KINGDOM	GB
EGYPT	EG	NAMIBIA	NA	UNITED STATES	US
EL SALVADOR	SV	NAURU	NR	US MISC. PACIFIC ISLANDS	PU
EQUATORIAL GUINEA	GQ	NEPAL	NP	US VIRGIN ISLANDS	VI
ETHIOPIA	ET	NETHERLANDS	NL	UPPER VOLTA	HV
FAEROE ISLANDS	FO	NETHERLANDS ANTILLES	AN	URUGUAY	UY
FALKLAND ISLAND (MALVINAS)	FK	NEUTRAL ZONE	NT	VATICAN CITY STATE (HOLY SEE)	VA
FIJI	FJ	NEW CALEDONIA	NC	VENEZUELA	VE
FINLAND	FI	NEW HERBRIDES	NH	VIETNAM, DEMOCRATIC REP. OF	VD
FRANCE	FR	NEW ZEALAND	NZ	VIETNAM, REPUBLIC OF	VN
FRENCH GUIANA	GF	NICARAGUA	NI	WAKE ISLAND	WK
FRENCH POLYNESIA	PF	NIGER	NE	WALLIS AND FUTUNA ISLANDS	WF
FRENCH SOUTH.& ANTAR.TERR.	FQ	NIGERIA	NG	WESTERN SAMOA	WS
FRENCH AFARS&ISSAS	AI	NIUE ISLAND	NU	YEMEN	YE
GABUN	GA	NORFOLK ISLAND	NF	YEMEN, DEMOCRATIC	YD
GAMBIA	GM	NORWAY	NO	YUGOSLAVIA	YU
GERMANY	DE	OMAN	OM	ZAIRE	ZR
GHANA	GH	PACIFIC ISLANDS TRUST TER	PC	ZAMBIA	ZM

3- Como representante de la Cámara de Comercio de su ciudad natal, prepare el discurso de apertura de la Feria Internacional que se celebrará en dicha ciudad el próximo mes.

CÁMARA OFICIAL DE COMERCIO, INDUSTRIA Y NAVEGACIÓN DE BARCELONA.

PRESENTACIÓN

Al igual que en otros países de la Unión Europea, la Cámara Oficial de Comercio, Industria y Navegación de Barcelona es un ente público al que la Ley otorga la doble función de actuar como cuerpo consultivo de la Administración y como Corporación representativa de los intereses generales del comercio, la industria, la navegación y demás servicios.

El hecho de que el Pleno de la Cámara, su órgano supremo de gobierno, esté formado por sesenta miembros democráticamente elegidos por la totalidad de los contribuyentes al Tesoro Público en virtud de dedicarse al comercio, la industria o la navegación, permite que los acuerdos que aquel adopte se dirijan siempre, no a la defensa singular de un concreto interés sectorial o profesional, sino a la consecución de todo cuanto más pueda beneficiar al interés general, ya que, en definitiva, las resoluciones corporativas constituyen opiniones de síntesis elaboradas con las aportaciones y el trabajo desinteresado de los representantes de todos los sectores económicos.

Por otra parte, la Cámara pone a disposición de sus electores en particular y del público en general un conjunto muy diferenciado de servicios, todos los cuales, empero, se proponen cuatro objetivos muy concretos: informar, divulgar, formar y promover. En las páginas que siguen, el lector interesado podrá encontrar una breve descripción del contenido de cada uno de los mencionados servicios. Obviamente, la Cámara a lo largo de más de cien años de su existencia, ha experimentado los naturales cambios de tipo reglamentario y organizativo, pero los objetivos básicos de su actuación, como son la defensa de todo aquello que más favorezca al interés general de la actividad económica, y el llevar a cabo actividades informativas, divulgadoras, formativas y de promoción, continúan siendo hoy tan actuales y tan necesarios, o más, que hace cien años.

COMPRENSIÓN LECTORA

¿Verdadero o falso?

1. La Cámara actúa como cuerpo decisorio de la Administración.

2. El pleno de la Cámara es elegido por todos los contribuyentes.

3. Los objetivos de la Cámara son: informar, divulgar, formar y promover.

4. La Cámara representa los intereses específicos de la navegación.

5. La Cámara existe desde hace más de cien años.

VERDADERO	FALSO

COMPRENSIÓN AUDITIVA

CÁMARAS DE COMERCIO

ENTREVISTA A RAYMOND LE BRIS, DIRECTOR GENERAL DE LA CÁMARA DE PARÍS

1

¿Por qué la Cámara parisina tiene tanto interés en la formación de los trabajadores de las pequeñas y medianas empresas?

- Escuche la primera pregunta y la respuesta dada por el señor Le Bris, a continuación señale cuáles de las siguientes frases son verdaderas y cuáles son falsas:

	VERDADERO	FALSO
1. Hay un riesgo en el Mercado Único de que únicamente las multinacionales saquen provecho.		
2. La construcción de un mercado interior sólo se podrá llevar a término con la desaparición de las PYMEs.		
3. Las PYMEs deben unirse para aumentar su productividad.		
4. Las PYMEs jugarán un gran papel en pequeños sectores como el de la producción y distribución agroalimentaria.		

2

Entonces, ¿cómo quedará configurado el Mercado Europeo?

- Lea las palabras que presentamos a continuación, escuche la respuesta y subraye las que utiliza el Sr. Le Bris:

PYME   electricidad   sectores....aeronáutica inversiones obligaciones cotidianas habitantes ciudadanos redes abastezcan concesionarios Laponia   ejemplo

3

¿Qué política comercial, según su experiencia, deberá seguir una PYME que quiera consolidar su posición en Europa?

- Escriba la respuesta que crea que va a dar el señor Le Bris ayudándose de las siguientes palabras. Escuche la respuesta seguidamente.

estudios análisis empresas adaptar productos campañas nacionalidades mentalidad costo adicional

4

¿Considera que España podrá alcanzar finalmente el nivel de crecimiento económico de los países ricos de la Comunidad Europea?

- Escuche la respuesta y rellene los espacios en blanco:

España .... por .... económicamente .... de los .... ricos de la ...., pues es un .... indispensable. Además, la .... de su economía durante los .... cuatro años pone de .... el esfuerzo que está ....

LA BANCA

7

DIÁLGO

La señora Bustamante entra en un banco y se dirige a una ventanilla.

Empleado:	Buenos días.
Sra. Bustamante:	Buenos días, vengo a *cobrar* este *cheque*.
Empleado:	Perdone, pero debe *extender su firma al dorso*.
Sra. Bustamante:	No entiendo, si otras veces me *han abonado* la *suma* que figura en el talón sin tener que firmarlo ¿Qué ocurre esta vez?
Empleado:	Es que este *talón* es *nominativo*, las otras veces debía de ser un *talón al portador*.
Sra. Bustamante:	¡Ah! Puede ser, ni me había fijado.
Empleado:	Disculpe, ¿me ha dicho cobrarlo?
Sra. Bustamante:	Sí, sí, cobrarlo.
Empleado:	No es posible pagárselo porque es un *talón barrado* y sólo puedo *ingresárselo* en su *cuenta*.
Sra. Bustamante:	¡Qué despistada estoy! Claro, por supuesto es para ingresar en mi *cuenta*, ya sabe, la número 299.
Empleado:	De acuerdo.
Sra. Bustamante:	Por cierto ¿el director está ocupado ahora o podría hablar con él?
Empleado:	Creo que si lo desea puede pasar a su despacho, pues no tiene ninguna visita en estos momentos.
Sra. Bustamante:	Gracias, muy amable.

● ● ● ● ● ● ● ● ● ● ● ,

En el despacho del director, el señor Palacios.

Sr. Palacios:	Buenos días, sra. Bustamante, usted dirá en qué puedo serle útil.
Sra. Bustamante:	Buenos días señor Palacios. Pues verá, ya sabe que soy *clienta* de su banco desde hace mucho tiempo. Creo que ya hace más de 6 años decidí *abrir una cuenta* en esta *sucursal bancaria* y todos mis *pagos mensuales* están domiciliados aquí. Pues en esta ocasión recurro a usted para que me exponga los detalles de cómo poder pedir un *préstamo* para montar un negocio.
Sr. Palacios:	¿De qué negocio se trata?
Sra. Bustamante:	De un restaurante, pues en esta zona no hay muchos y además el nuestro sería bastante especial.
Sr. Palacios:	Creo que, si usted necesita un capital para un negocio, lo mejor sería solicitar un *crédito* en vez de un préstamo.
Sra. Bustamante:	No veo la diferencia entre uno y otro.
Sr. Palacios:	Ahora se lo explico. Cuando el banco concede un préstamo pone una cantidad determinada a disposición de una persona y ésta *dispone* o no de la totalidad, pero el banco le va a cobrar por el total. En cambio, en el crédito, el banco le pone una cantidad de dinero a su disposición y le va a cobrar por la parte de la que disponga.
Sra. Bustamante:	¿Y qué debo presentar para que se me conceda?
Sr. Palacios:	¿Usted es *asalariada*? ¿Ingresa una *nómina* en su cuenta?
Sra. Bustamante:	No, actualmente no trabajo.
Sr. Palacios:	En ese caso necesitaríamos saber si usted cuenta con un *patrimonio* o bien si cuenta con unos *avalistas* solventes. El banco analizará el tipo de negocio para conocer más a fondo los *riesgos bancarios* que podríamos correr.
Sra. Bustamante:	¿Qué *intereses* debería pagar?
Sr. Palacios:	Los *réditos* están en relación con la cantidad de dinero que usted solicite.
Sra. Bustamante:	Lo más adecuado será volver otro día con más calma para puntualizar todos los detalles. Gracias, señor Palacios.
Sr. Palacios:	Hasta cuando desee, señora Bustamante. Buenos días.

VOCABULARIO

A

Abonar:
Pagar una cantidad de dinero.

Abrir una cuenta:
Rellenar la ficha de apertura y realizar el depósito inicial en una cuenta.

Asalariado:
Persona que recibe un salario por su trabajo.

Avalista:
Persona que presta o da el aval en favor de otra persona.

C

Cliente:
Persona que regularmente utiliza los servicios de una empresa o institución financiera.

Cobrar:
Ingresar o recibir dinero o medios de pago (transferencia, talón, letra de cambio), como contraprestación de una venta o servicio ejecutado.

Crédito:
Contrato correspondiente por el que una parte concede a otra el uso temporal de una cierta cantidad de dinero, a cambio de una remuneración de intereses.

Cuenta corriente bancaria:
Contrato establecido entre una institución financiera de depósito y un cliente por el que éste sitúa en aquella cualquier cantidad de dinero y puede disponer de él en cualquier momento mediante valores o cheques.

CH

Cheque:
Talón emitido por un banco contra sus propios fondos. Es una promesa de pago del banco nominativa o al portador.

D

Disponer:
Utilizar.

Dorso:
Parte posterior.

E

Extender su firma:
Escribir su nombre y apellidos.

I

Ingresar:
Entrar dinero en la cuenta.

Interés:
Remuneración que se paga o se recibe por el uso temporal del dinero.

N

Nómina:
Conjunto de retribuciones pagadas.

Nominativo:
Título o documento extendido a favor o a la orden de una persona determinada.

P

Pagos mensuales:
Abonos de una cantidad realizados cada mes.

Patrimonio:
Conjunto de bienes y derechos pertenecientes a una persona.

Portador:
Persona que presenta un cheque al banco para recibir el importe de dinero que figura en el talón.

Préstamo:
Contrato por el que una de las partes entrega a la otra dinero con la condición de devolver otro tanto. Admite el pacto expreso de pagar intereses.

R

Rédito:
(Véase Interés)

Riesgo bancario:
Cantidad total que una institución financiera tiene en un momento determinado expuesta con un cliente. El riesgo es la suma de los préstamos, créditos....

S

Sucursal bancaria:
Oficina subsidiaria dependiente de la oficina central.

Suma:
Cantidad.

T

Talón:
(Véase Cheque)

Talón barrado o cruzado:
Talón que sólo puede ser cobrado por el tenedor mediante su ingreso en cuenta corriente.

OBSE**R**VE

¡Qué	despistada confusa intrigada	estoy!

Función: Para enfatizar un estado de ánimo.

● ● ● ● ● ● ● ● ●

Si lo desea,	puede pasar a su despacho. el banco le proporciona el dinero. tiene la oportunidad de operar a crédito.

Función: Para sugerir cortésmente.

● ● ● ● ● ● ● ● ●

Usted dirá	en qué puedo serle útil. cómo desea realizar el pago. en cuántos meses quiere devolver el préstamo.

Función: Para dar la palabra al interlocutor.

● ● ● ● ● ● ● ● ●

¿De qué	negocio asunto tema	se trata?

Función: Para preguntar sobre algo.

● ● ● ● ● ● ● ● ●

Lo mejor sería	solicitar un crédito. administrar mejor su dinero. invertir en bolsa.

Función: Para sugerir cortésmente.

● ● ● ● ● ● ● ● ●

Lo más adecuado es	reducir el tipo de interés. potenciar sus actuales servicios. sacar al mercado un crédito hipotecario especial.

Función: Para sugerir una acción.

RECUE**R**DE

El **Presente de Subjuntivo** se usa también:

- En frases temporales cuando se expresa una idea futura.
    *Cuando **hables** con él, intenta convencerlo*
    *Esperaré hasta que **llegue***

- Después de "ojalá" cuando se expresa un deseo posible de alcanzar.
    *Ojalá **encontremos** un buen diseñador*

Los **pronombres personales complemento** se colocan delante del verbo:

    ***Me** han abonado la suma*
    ***Me** ha dicho*

Excepto cuando el verbo está en infinitivo:
    *Puedo ingresár**selo** en su cuenta*
o en gerundio: *Está preparándo**se***
o en imperativo: *¡Entréga**melo**!*

MANOS A LA OBRA

Busque la pareja y forme frases.

1. Lo mejor sería	2. de qué cuenta se trataba
3. ¡Qué cansada	4. en qué podemos ayudarle
5. Usted dirá	6. suscribirse a un plan de ahorros
7. Lo más adecuado es	8. dirigirse a la sucursal más próxima
9. No nos dijo	10. estoy!

LAS TARJETAS DE CRÉDITO

Elija la palabra o palabras que faltan.

1.   La .... de las tarjetas de crédito se inició a principios de siglo.
a)   prohibición
b)   utilización
c)   venta
d)   elección

2.   Llegaron a España en la .... de los 50.
a)   época
b)   quincena
c)   década
d)   estación

3.   En un principio sirvieron como forma de .... en los hoteles.
a)   identificación
b)   reserva
c)   pago
d)   comprobación

4.   Utilizadas en .... nos permiten, por ejemplo:
a)   cajeros automáticos
b)   cabinas telefónicas
c)   buzones de correos
d)   ventanillas de correos

5.   la obtención de dinero ....;
a)   a largo plazo
b)   de plástico
c)   a medio plazo
d)   en efectivo

6.   con ellas podemos adquirir .... y servicios diversos;
a)   prestigio
b)   bienes
c)   fama
d)   conocimientos

7.   también podemos pagar .... o esperar un tiempo para abonar lo adquirido.
a)   en talón
b)   con descuento
c)   sin cargo
d)   a plazos

Son, en resumidas cuentas, el dinero del futuro que ya se usa en el presente de forma muy generalizada.

MANOS A LA OBRA

LA BANCA

NUEVO PLAN DE PENSIONES

Relacione las preguntas de la columna de la izquierda con las respuestas de la columna de la derecha.

1. ¿A que no sabe cuánto ganará cuando se jubile?

    a) Corríjame si me equivoco, pero creo que la ley establece un máximo de 750.000 ptas. anuales.

2. ¿Necesita ahorrar para su jubilación?

    b) En cualquier momento.

3. ¿Cuánto es lo máximo que se puede invertir en un Plan de Pensiones?

    c) Yo y cualquier persona que quiera tener una vejez digna.

4. ¿Puede interrumpir el pago de las cuotas periódicas?

    d) Todavía no lo he calculado.

5. ¿Cuándo puede disponer del fondo acumulado?

    e) ¡Cómo no! El importe de las cuotas reduce la Base Imponible.

6. ¿Recibirá ventajas fiscales de las aportaciones a los Planes de Pensiones?

    f) Los beneficiarios recibirán el 100%.

7. ¿Qué sucede si fallece antes de la jubilación?

    g) En caso de jubilación, invalidez o fallecimiento.

EL BANCO EN CASA

A partir de ahora todas sus gestiones las podrá realizar sentado cómodamente en su sillón preferido.

- Elija de las siguientes posibilidades las que usted cree que le ofrece el servicio "El banco en casa".

Sí

No

1. Consultar el saldo y extracto de sus cuentas.
2. Confirmar operaciones en cuenta.
3. Modificar, a su favor, la cantidad que figura en su nómina.
4. Realizar transferencias de fondos.
5. Pedir la obtención de un resultado negativo en el impuesto sobre la renta.
6. Cargar a la entidad financiera los gastos de traslado de oficina.
7. Solicitar nuevos talonarios o cheques de gasolina.
8. Conocer los pagos realizados con su tarjeta de crédito.
9. Recibir información sobre el estado de cuentas de su competidor.
10. Comprar y vender valores en bolsa.
11. Comprar décimos de lotería del Gasto Público.
12. Recibir información al instante de las cuatro bolsas españolas.

MANOS A LA OBRA

 Escriba en los espacios en blanco la forma correcta del imperfecto o indefinido.

Monedas, billetes .... DINERO

¿Para qué sirve un billete?

Parece una pregunta absurda, sin embargo, lo que hoy parece tan sencillo no siempre lo (ser) ....1........

El concepto del dinero es tan etéreo, que (tener) ....2........ que pasar muchos siglos hasta la utilización de las monedas y más tarde la popularización del billete.

Los españoles (usar) ....3........ los primeros billetes hace más de dos siglos. Los (emitir) ....4........ el Banco Nacional de San Carlos, antecesor del Banco de España. El cambio (provocar) ....5........ una revolución: a partir de entonces (haber) ....6........ que fiarse del respaldo que una institución (dar) ....7........ a esos "papelitos". El dinero "contante y sonante" (convertirse) ....8........ en algo que (poder) ....9........ destruirse fácilmente.

Los primeros papeles moneda (ser) ....10........ los llamados vales reales que se (emitir) ....11........ en 1780. Cada año los poseedores de los vales (deber) ....12........ canjearlos. Para ello (crearse) ....13............ en 1782 el Banco de San Carlos.

En 1800 los vales se (retirar)........14........ de la circulación y (ser) ....15........ sustituidos por los billetes.

Estos billetes (nacer) ....16........ respaldados por el dinero en metálico que los bancos emisores (tener) ....17........ almacenado en su caja fuerte.

● ● ●

 Escriba en los espacios en blanco la forma correspondiente del imperfecto de subjuntivo.

1. Si (fusionarse).....1...... los dos bancos, Pedro Crespo se concentraría en la presidencia del grupo industrial y Javier Gomis se haría cargo de todo el negocio bancario.

2. Sólo comprarían un banco español si éste (tener).....2..... un precio asequible.

3. Si Juan Pamplona (estar)....3... dispuesto a retirarse como presidente del banco, Santiago Ramos entraría por la misma puerta.

4. Si las negociaciones (ser)......4...... rápidas, el acuerdo también lo sería.

5. Si las ayudas (exigir)......5...... enormes cantidades de recursos, éstos tendrían que ser por motivos antiinflacionistas.

6. Si le (conceder)......6....... el crédito, podría montar el negocio.

● ● ●

MANOS A LA OBRA

Escoja la palabra adecuada de entre las siguientes, para rellenar los espacios en blanco.

CREDITICIA   FUSIÓN   *HOLDING   SINERGÍAS   CRÉDITOS   PASIVO   AHORRO   COMPETIDOR   SISTEMA

● **1.** ¿Te has enterado de lo del nuevo .... bancario español?

○ Lo he leído esta mañana. Se llamará Corporación Bancaria de España, CBE.

● **2.** Con esta ... parece ser que el Estado será el principal .... de los bancos privados y cajas de ahorro.

○ Sin lugar a dudas. Lo han justificado diciendo que era necesario aprovechar .... y complementariedades en la captación de .... y en la actividad ....

● **3.** Y también argumentando que de esta forma se provocaría más competencia en el .... financiero.

○ Pues no sé si a nuestros accionistas les hará mucha gracia.

● **4.** El ministro se ha puesto en pie de guerra y ha advertido que se trata de obligar a los demás a que abaraten los ...... y a que paguen más el ....

○ Vamos a ver qué piensa nuestro director de todo esto.

● ● ●

Explique qué significan las palabras subrayadas.

a

El nacimiento de la <u>letra de cambio</u> lo encontramos en la Edad Media, en el <u>tráfico mercantil</u> de las ciudades del Norte de Italia. En aquella época viajar comportaba infinidad de riesgos, dado que las rutas tanto marítimas como terrestres no eran seguras. La necesidad de hacer pagos en el extranjero, y al mismo tiempo la voluntad de reducir al mínimo los <u>riesgos</u> que comportaban los viajes conlleva la aparición de un nuevo <u>documento</u>. Los banqueros italianos reciben dinero en una <u>plaza</u> y se obligan a abonar la misma cantidad en otra plaza en el extranjero en la <u>moneda de curso legal</u> de ese lugar. La forma de este documento es la de un simple <u>pagaré</u>: el banquero se obliga a pagar él mismo en la plaza extranjera o a pagar por medio de su compañero de negocios en esa plaza.

Ese rudimentario documento sometido a muchas reformas, adiciones y supresiones es el origen de lo que hoy conocemos como letra de cambio.

● ● ●

* es decir, "grupo financiero e industrial"

MANOS A LA OBRA

B l a

B l a

B l a.

EN EL RESTAURANTE

Pase a subjuntivo los verbos entre paréntesis.

Susana Bustamante y Cristina Lozas se encuentran en el restaurante "La Barca" después de la visita al Banco.

Cristina: *¿Cómo ha ido?*

Susana: *No sé, espero que (concedernos) ....1... el préstamo.*

Cristina: *¡Claro que sí! Con los contactos que tenemos ...*

Susana: *Pero no es suficiente, lo importante es que nos (avalar) ....2.........*
una persona solvente ¿Has hablado con alguno de tus tíos?

Cristina   *No, pero hablaré cuando tú (querer) ....3.......... ¿Qué tengo que*
decirle?

Susana: *Pues hija, oye, explicarle nuestro proyecto lo más claramente*
posible para que (interesarse) ....4....... y nos (apoyar) ....5.......
económicamente. Cuando (hablar) ...6... con él intenta convencerlo
de que es un buen negocio.

Cristina: *Es, que, la verdad, no estoy tan segura de que (ser) .....7.... un*
buen negocio.

Susana: *A estas alturas no es lógico que (decir) ..8.. eso, después de que*
ya nos han hecho el estudio de mercado, hemos visto el local y he
hablado con el banco.

Cristina: *Tienes razón, ya me lo dice siempre el doctor Gastó, que soy*
demasiado insegura. ¡Pero qué quieres que le (hacer) ....9........!

Susana: *No es que (ser) ....10....... insegura, es que eres caprichosa. Llevas*
media hora mirando la carta y todavía no has decidido lo que vas a
comer. ¿Te has fijado en qué diseño tan bonito tiene la carta?Ojalá
(encontrar) ....11......... (nosotras) un buen diseñador que
(saber) ....12....... hacer algo semejante.

Cristina: *¡O que (conseguir) ..13... algo mejor! Bueno, pero explícame lo que*
te han dicho en el banco.

Bla Bla Bla.

ACTIVIDADES

1. ¿Vive usted en España?

Si es así, compruebe si los datos facilitados en el cuadro son correctos en este momento. Si no lo son, escriba las variaciones que ha sufrido el mercado de divisas.

BILLETES DE BANCOS EXTRANJEROS

	Comp.	Vend.		Comp.	Vend.
1 dólar EE UU (grande)	103,40	107,28	1 corona sueca	16,85	17,48
1 dólar EE UU (pequeño)	102, 37	107,38	1 corona danesa	15,78	16,37
1 dólar canadiense	89,92	93,29	1 corona noruega	15,49	16,07
1 franco francés	17,82	18,49	1 marco finlandés	25,91	26,88
1 libra esterlina	178,46	185,15	100 chelines austríacos	857,42	889,57
1 libra irlandesa	161,42	167,47	100 escudos portugueses	70,26	72,89
1 franco suizo	71,49	74,17	100 yenes japoneses	75,10	77,92
100 francos belgas	293,31	304,31	1 dólar australiano	80,47	83,49
1 marco alemán	60,35	62,61	100 dracmas griegas	55,44	57,52
100 liras italianas	8,14	8,45	1 dirham	10,26	10,66
1 florín holandés	53,55	55,56	100 francos CFA	35,52	36,90

¿Vive usted fuera de España?

En este caso rellene este cuadro con el valor de las divisas en la moneda de curso legal de su país.

	Comp.	Vend.		Comp.	Vend.
100 chelines austríacos			1 franco francés		
1 corona danesa			1 franco suizo		
1 corona noruega			1 libra esterlina		
1 corona sueca			1 libra irlandesa		
1 dólar australiano			100 liras italianas		
1 dólar canadiense			1 marco alemán		
1 dólar EE UU			1 marco finlandés		
100 dracmas griegas			100 escudos portugueses		
1 florín holandés			100 yenes japoneses		
100 francos belgas					

fuente: Banco de España.

ACTIVIDADES

2. Lea estas opiniones y comente con sus compañeros con qué personaje se siente más identificado en su respuesta.

ENCUESTA
¿CÓMO VALORA LAS RECIENTES FUSIONES BANCARIAS?

JOSÉ JANÉ SOLÁ
Presidente del Banco de la Pequeña y Mediana Empresa

Es positivo. En un contexto mundial, el problema de España no es de minifundismo empresarial, sino de falta de grandes empresas. Los bancos deben adquirir dimensión internacional.

FRANCESC CABANA
Analista económico

Un magnífico ejercicio de confusión. Medias verdades, medias mentiras, presiones políticas y económicas, ambiciones personales y puntos débiles en la cuenta de resultados.

ANGEL ALFARO
Secretario general de banca y ahorro de CC.OO. de Cataluña

Cada fusión es distinta. Si se mantiene el empleo, se mejoran las condiciones de trabajo, el servicio de público y el sistema financiero, lógicamente estaríamos de acuerdo.

LUIS DE AHUMADA
Auditor del gabinete Ahumada y Asociados

Tardías. Precipitadas. Heterogéneas. Conflictivas. Estratégicas. Sorprendentes. Interesantes. Necesarias. Tres por lo menos de estos epítetos pueden aplicarse a cualquiera de ellas.

PABLO HERRERA
Ex. Pte. de la Confederación Española Juniors Empresas

Cara al 93 son favorables. Se gana competitividad y se reducen costes.
Pero estas fusiones deberán ser bien gestionadas, evitando que repercutan negativamente en el cliente.

JOSEP A. MERODIO
Consejero delegado de Banca Catalana

Ni bien ni mal, a priori. Sus objetivos, la oportunidad del momento escogido y su real trayectoria, se demuestran o no como buenos al cabo de un período de tiempo.

La Vanguardia

ACTIVIDADES

3. Si tuviera que solicitar un crédito, ¿a qué banco se dirigiría? ¿por qué?

	ELEGIR EL MEJOR CRÉDITO		
BANCO	**INTERÉS**	**TRAMITACIÓN**	**REQUISITOS**
A	17,5%	De 24 a 48 horas	Justificante de ingresos
B	16% para el plazo de 6 meses de amortización 18% para un año.	Unos 5 días	Fotocopia nómina Justificante de propiedad
C	18%	Unos 3 ó 4 días	Fotocopia nómina Justificante de propiedad
D	17,5%	48 horas	Fotocopia nómina Justificante de ingresos
E	18,25%	Unos 4 días	Fotocopia nómina Última nómina Fotocopia DNI - Fotocopia NIF
F	18%	24 horas	Declaración de bienes
G	19%	2 días en contestar Unos 4 en conceder	Rellenar impreso solicitud - Últimas nóminas Última declaración renta - Último recibo del impuesto de bienes inmuebles o justificante de propiedad
H	16%	24 horas	Fotocopia nómina Acreditación de ingresos
I	16%	4 horas	Fotocopia nómina Nómina fija o justificante de propiedad
J	19%	Unos 5 días	Fotocopia nómina Escritura de propiedad Licencia fiscal para autónomos Declaración IVA para los comerciantes

4. Simulación (grupos de tres personas)
Quiere usted comprar un coche nuevo y solicita información sobre la financiación del mismo al vendedor del concesionario. A continuación solicita información sobre un posible préstamo personal en el Banco. ¿Por qué se decide usted?

5. Confeccione una lista con su compañero/a de los servicios bancarios que considera más útiles. A continuación confeccione otra donde consten sus quejas. Compare la longitud de las dos listas.

6. Debate:¿Puede mejorarse el sistema bancario? ¿Es perfecto? ¿Funciona mejor en algunos países que en otros?

COMPRENSIÓN LECTORA

LAS COMPAÑÍAS DE "LEASING" COMO ENTIDADES DE CRÉDITO

La ley de Disciplina e Intervención de Entidades de Crédito (Ley 26/1988 de 29 de julio) encuadró a una serie de sociedades especializadas en distintas actividades financieras, entre ellas a las compañías de "leasing", como entidades de crédito, sujetas por lo tanto al régimen tutelar del Banco de España.

En los últimos años transcurridos desde entonces, el Banco de España se ha ocupado de extender toda la normativa existente para los bancos a las compañías de "leasing", por lo que, en la práctica, puede decirse que estas sociedades cuentan hoy con una reglamentación similar a los bancos y cajas, aunque mantienen su limitación de objeto social exclusivo.

No cabe duda de que, como aspecto positivo, la naturaleza de entidad de crédito otorga a las compañías de "leasing" un carácter de seriedad y solvencia todavía mayor que el que ya de por sí contaban. Sin embargo, su especialización vocacional les supone algunas desventajas con respecto a las entidades de crédito de ámbito de actuación universal que, adoptando estatuto bancario, se especialicen en uno o varios productos financieros específicos.

Sin embargo, lo que resulta cuando menos curioso es que tanto a nivel comunitario como en el caso español se ha profundizado muy poco en una definición de lo que es "Leasing". Bajo el concepto genérico de leasing (arrendamiento financiero en España) caben hoy en día productos bien distintos. Por un lado, está el leasing financiero, que es el "leasing" realizado con opción de compra a favor del cliente por un precio prefijado y de importe reducido. Este tipo de "leasing" resulta asimilable a la figura crediticia, puesto que el cliente asume la obligación de reembolsar al arrendador la práctica totalidad del valor de los bienes cedidos en arrendamiento. Por otro lado está el "leasing" operativo que se diferencia del anterior en que el arrendamiento incluye una opción de compra a precio más alto o incluso no la ofrece. Pero las fronteras no están bien delimitadas y, muchas veces, un "leasing" aparentemente de tipo financiero es en realidad un "leasing" operativo y viceversa, dependiendo del tipo del bien arrendado, del plazo de la operación, etcétera.

De cara al futuro, con independencia de la estrategia individual que cada empresa puede adoptar, es decir continuar como empresa especializada en "leasing" o adoptar el estatuto bancario para desarrollar luego una actividad fundamentalmente especializada en el "leasing", parece necesario que las autoridades comunitarias y españolas tomen en consideración esta amenaza que se ciñe sobre las entidades de crédito y que no es otra que la subsistencia de dos productos, "leasing" financiero y "leasing" operativo, con fronteras difusas de separación pero desarrolladas por entidades con reglamentación muy diferente. Por un lado, las definidas como entidades de crédito (sean bancos o sean empresas de "leasing"), sometidas a un rigor normativo enorme por parte de los bancos centrales que repercute tanto en costes más altos estructurales como en requerimientos de capital y fondos propios. Por otro lado, las sociedades anónimas no sometidas a legislación específica y que desarrollen un producto "leasing" (arrendamiento con opción de compra), que hagan la competencia a las entidades de crédito con una estructura de costes operativos y quizás de costes financieros (sin coeficiente de caja sobre los recursos ajenos captados) más bajos.

En síntesis, la consideración de "leasing" como actividad de crédito y la correspondiente configuración de las empresas arrendadoras como entidades de crédito puede llevar a un escenario en el que sean pocas las empresas que mantengan el estatuto de compañía especializada por ser más ventajosa la adopción del estatuto bancario. Independientemente de la "licencia" con la que se decida actuar en el mercado -bancaria o de compañía especializada- resultará necesario delimitar el concepto genérico de "leasing" protegiendo a una profesión que está rigurosamente reglamentada frente al posible intrusismo que representaría la existencia de empresas que, prácticamente sin regular, podrían ejercer una profesión similar en condiciones de costes operativos más ventajosos.

Expansión

1. ¿A qué régimen están sujetas las compañías de *leasing*?
2. ¿Es muy distinta la reglamentación de las compañías de *leasing* de la de los bancos y cajas?
3. ¿Está claramente definido el concepto de *leasing*?
4. ¿Qué diferencias hay entre el *leasing* financiero y el *leasing* operativo?
5. ¿En qué medida puede una sociedad anónima que desarrolle un producto *leasing* hacer la competencia a las entidades de crédito?

COMPRENSIÓN AUDI**T**IVA

La Caja de Ahorros y Pensiones de Barcelona, "La Caixa", ha solicitado ya su fusión, que todavía no ha cumplido un año, y además ha superado el bache en el descenso de beneficios, según afirma el director general de la entidad, Josep Vilarasau, en una entrevista concedida al periódico "La Vanguardia".

1

¿Cómo se explica esa mejora tan radical en unos tiempos tan difíciles?

- Escuche la respuesta dada por Josep Vilarasau y escriba a continuación las tres causas que cita.
1. ....
2. ....
3. ....

2

¿La rebaja de las supercuentas ha ayudado a la mejora de resultados que "La Caixa" ha obtenido en el primer trimestre?

- Escuche la respuesta a la segunda pregunta e indique si las siguientes frases son verdaderas o falsas

	VERDADERO	FALSO
a. Los anuncios de televisión informan de un aumento de los tipos de interés del pasivo.		
b. La competencia sigue siendo dura.		
c. Los ahorradores son más sofisticados.		
d. Con el tiempo la rentabilidad de los depósitos descenderá.		

3

¿Y qué estrategias de defensa tiene una Caja frente a este encarecimiento de sus depósitos que, lógicamente, va en contra de sus beneficios?

- Escuche la tercera pregunta y redacte la respuesta ayudándose de las siguientes palabras:
eficaz / volumen de dinero / productividad / cliente.
1. ....
2. ....
3. ....
4. ....

4

Usted ve difícil que pueda bajar la rentabilidad media del ahorro ¿Supongo entonces, que también ve difícil que pueda bajar el coste de los créditos?

- Escuche la última respuesta y complete los espacios en blanco con las palabras que faltan.

El tipo de .... de los .... ha bajado en todo el .... entre uno y casi dos .... en los últimos tres meses. Nosotros hemos hecho lo mismo. Algunos .... lo han anunciado incluso con grandes pancartas en sus fachadas. Nosotros no lo hemos anunciado, pero lo hemos ....

LA BOLSA

8

DIÁLGO

Ramón Peñálvez participa en una visita a la Bolsa que ha organizado su empresa dentro del programa de promoción de personal.

Guía:	Están ustedes viendo el edificio de la *Bolsa* de Barcelona. Como ya saben, en España existen cuatro Bolsas: las de Madrid, Barcelona, Valencia y Bilbao. Solemos identificar la Bolsa como una *institución* propia de nuestro siglo, sin embargo, la Bolsa en Barcelona data del siglo XIII. Desde entonces este edificio ha visto cómo se amasaban y perdían grandes fortunas, aunque, por supuesto, no tiene el *volumen de contratación* de otras Bolsas.
Ramón:	¿Qué horario tiene? ¿Hay *asignación de tiempo* para los *valores* que se *cotizan* en Bolsa?
Guía:	Antes sí, ahora con la última reforma, todos los valores pueden contratarse al mismo tiempo. Es lo que venimos denominando *mercado continuo*.
Ramón:	También en España existe la figura del *broker*, según creo...
Guía:	Efectivamente. El *broker* es la persona que contrata en el *mercado de valores*, por cuenta de otros, es decir, que no actúa en nombre propio.
Ramón:	¿Qué tipo de *acciones* se contratan en Bolsa?
Guía:	Si me lo permite, me gustaría que me acompañase a la sala principal, donde con mucho gusto les expondré todo lo referente a la contratación en los *corros*. Por aquí, por favor... Bien, ya hemos llegado.
Ramón:	No parece haber mucha actividad, ¿verdad?
Guía:	Es que ahora, debido a la *informática*, el *broker* no necesita venir al edificio de la Bolsa para contratar, sino que puede hacerlo directamente desde su oficina. Antes daba gusto ver a los *Agentes de Cambio y Bolsa* ir de un lado para otro gritando cada vez con más entusiasmo.
Ramón:	Pues no, realmente no puede decirse que el edificio vibre de entusiasmo. Especialmente en el corro de la derecha...
Guía:	Éste es el segundo corro. Ahí se contrataban acciones de pequeña y mediana empresa. Actualmente sigue sólo en funcionamiento el primer corro, es ahí donde se contratan las acciones de empresas grandes españolas, los *cupones en ampliación de capital* y la *renta fija*, es decir, el *mercado monetario*.
Ramón:	Ya veo. Parece que de todas formas está todo destinado a desaparecer tarde o temprano, ¿me equivoco?
Guía:	No hay que ser pesimistas, sin embargo, temo que tenga usted razón. Se ha hablado de instalar ordenadores aquí, de forma que los *brokers* puedan trabajar en el edificio, pero es lógico que prefieran trabajar desde su oficina, y hoy en día ¿quién no tiene un *ordenador*?
Ramón:	Y dígame, además de las acciones, ¿podría usted explicarnos qué son las *opciones* y el *mercado de futuros*?
Guía:	Veo que se interesa usted mucho por el tema, en cambio, el resto de sus compañeros parece tener ganas de terminar la visita. Le propongo continuar hablando de todo esto mientras tomamos el aperitivo. Hay un chiringuito aquí cerca, donde sirven unas tapas excelentes. ¿Qué le parece?
Ramón:	¿Cómo no? ¡Encantado! De paso, quizás pueda aclararme también qué es el *índice bursátil*, si no es pedir demasiado, claro.

VOCABUL**A**RIO

A

Acciones:
Parte alícuota del capital de una sociedad mercantil.

Agente de Cambio y Bolsa:
Mediador público en las transmisiones de acciones y obligaciones.

Asignación de tiempo:
Distribución del tiempo para la contratación de los valores.

B

Bolsa:
Lugar público de contratación de valores, bienes, materias primas, etc.

Broker:
Persona que contrata en el mercado de valores por cuenta de otros.

C

Corros:
Lugar donde se realizan las operaciones bursátiles.

Cotizar:
Asignar un precio de compra - venta a un valor mobiliario en bolsa.

Cupones de ampliación de capital:
Cobros de dividendos o derechos de subscripción preferente.

I

Índice bursátil:
Índice que indica la subida o bajada de cotización global.

Informática:
Conjunto de medios y técnicas destinado al proceso automático de la información.

Institución:
Entidad, órgano.

M

Mercado continuo:
Se llama así al momento en que todos los valores pueden contratarse al mismo tiempo .

Mercado de futuros:
Mercado donde se realiza la contratación pública de contratos de futuro: de materia prima, activos financieros o divisas, con entrega futura a un precio prefijado.

Mercado de valores:
Mercado de compraventa y emisión de títulos de renta fija y variable.

Mercado monetario:
Mercado donde diariamente se intercambian los activos financieros.

O

Opción:
Instrumento que da derecho a comprar una acción, obligación.., a un precio de ejercicio predeterminado.

Ordenador:
Máquina electrónica que procesa a alta velocidad información simplificada.

R

Renta fija:
Conjunto de activos financieros que aseguran una rentabilidad fija.

V

Valores:
Títulos que cotizan en bolsa.

Volumen de contratación:
Volumen de negocio contratado en bolsa.

OBSE**R**VE

¿Qué tipo de acciones se contratan en Bolsa?
condiciones se impondrán?
empresas ocupan los primeros puestos de la lista?

Función: Para preguntar sobre un tema.

• • • • • • • • •

Si me lo permiten me gustaría que me acompañasen.
desearía que me respondieran a unas preguntas.
querría que se fijaran en estos detalles.

Función: Para pedir permiso.

• • • • • • • • •

No parece haber mucha actividad.
ser un factor determinante.
haber superado la capitalización de TKL.

Función: Para indicar una suposición.

• • • • • • • • •

No puede decirse que el edificio vibre de entusiasmo.
los accionistas estén preocupados.
el índice bursátil vaya a mantenerse en los
niveles actuales.

Función: Para negar algo dando un rodeo.

• • • • • • • • •

No hay que ser pesimista.
alarmista.
ingenuo.

Función: Para formular una prohibición o un consejo.

RECUE**R**DE

Preposiciones "para" y "por"

Usos de "para":

- Expresa finalidad: *El broker no necesita venir al edificio de la Bolsa **para** contratar.*
- Expresa dirección: *Ir de un lado **para** otro.*
- Indica término temporal aproximado: *Lo terminarán **para** el lunes.*

Usos de "por":

- Expresa la causa o motivo: *No parece haber sido **por** una falta de liquidez.*
- En la frase pasiva: *Fue elegida **por** las diez mejores.*
- Expresa el medio, instrumento o manera de realizar la acción verbal: *Le daré la respuesta **por** teléfono.*
- Expresa el tiempo (la parte del día): *Nos veremos mañana **por** la mañana.*

MANOS A LA OBRA

Escriba en los espacios en blanco las expresiones siguientes que usted ya conoce por aparecer en el diálogo de esta unidad:

no puede decirse...........

no parece...........

qué tipo de...........

no hay que ser........

si me lo permiten...........

Sr. Fisas:......1......., me gustaría insistir en los puntos principales a tener en cuenta, que son liquidez y coherencia, según mi opinión.

Sr. Tapias: Tiene razón, señor Fisas, sin embargo, en el caso de la empresa Seto no sé ....2..... factores habrán sido determinantes para la caída de su cotización.

Sr. Fisas: Realmente es difícil poder precisarlos porque ....3...... que el precio de colocación no fuera razonable, así como el importe de la operación y la cantidad de acciones que salieron a cotizar.

Sr. Tapias: En este caso ....4............. haber sido por una falta de liquidez en la negociación de los valores.

Sr. Fisas: En fin, yo creo que ....5......... un gran experto para saber que aquellos años dorados de la Bolsa ya han pasado, "las vacas gordas" terminaron.

Sr. Tapias: Es verdad, estoy de acuerdo con usted.

¿Recuerda la información del diálogo?¿Cuál es la situación de la Bolsa en España?

1. En España hay:
  a) una única Bolsa en Madrid.
  b) una Bolsa en Madrid y otra en Barcelona.
  c) cuatro Bolsas: Madrid, Barcelona, Valencia, Bilbao.

2. Con la última reforma:
  a) hay asignación de tiempo para todos los valores.
  b) todos los valores pueden contratarse al mismo tiempo (mercado continuo).
  c) la Bolsa abre de 10 a 12.

3. Un broker:
  a) puede contratar solamente por cuenta de otras personas.
  b) puede contratar en nombre propio.
  c) no puede contratar nunca.

4. La Bolsa en Barcelona nace en:
  a) 1945.
  b) en el siglo XIII.
  c) no existe Bolsa en Barcelona.

5. En el primer corro se contratan:
  a) acciones de empresas multinacionales.
  b) acciones de pequeñas empresas.
  c) acciones de empresas grandes españolas.

6. En el segundo corro se contrataban:
  a) cupones en ampliación de capital.
  b) renta fija (mercado monetario).
  c) acciones de pequeña y mediana empresa.

LA FIEBRE DE LA BOLSA

Escoja la palabra más adecuada para completar los espacios en blanco.

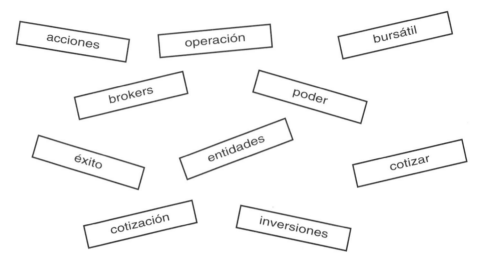

acciones   operación   bursátil   brokers   poder   éxito   entidades   cotizar   cotización   inversiones

1. Hace cuatro años, las .... de Boston Celtics, el club de más solera y laureado de la NBA, empezaron a .... en la Bolsa.

2. En la capital de Massachussets, donde el baloncesto es casi como una religión, los .... más importantes tuvieron que trabajar mucho en los primeros días de .... La fiebre compradora de los fanáticos aficionados de los Celtics superó todas las previsiones.

3. "Quiero tener en mi .... una pequeña parte del club de mis amores", declaró un aficionado.

4. Los analistas de las principales .... financieras coincidieron en señalar que la componente sentimental había disparado enormemente la cotización de las acciones.

5. "Hemos encontrado mucha gente a la que no le importaban los aspectos económicos de la .... ", declaró un especialista .... de una importante sociedad de ....

6. Varios clubes salieron a Bolsa después, pero ninguno consiguió el .... de Boston.

MANOS A LA OBRA

Escriba las preposiciones adecuadas en los espacios en blanco.

El "broker" Hoare Govett recomienda comprar Fosforera y Unión Fenosa

1 - El *broker* británico Hoare Govett recomienda ...1... sus clientes ...2.. su último informe entrar ..3... valores defensivos ...4... la Bolsa española ..5..., claras perspectivas ...6... beneficios y teniendo ...7... cuenta su carácter cíclico.

..8... estos valores, destaca Fosforera y Unión Fenosa, así como al sector cementero ..9... general.

2 - Hoare Govett es una ...10.. las casas ...11... valores más clásicas ...12.. la *City*, y el pasado año fue elegida ..13... las diez mejores ..14... calidad ...15... análisis.

3 - ..16... su revisión estratégica ....17.. los mercados ...18.. valores europeos, correspondiente...19...mes de mayo, los analistas ...20.. Hoare Govett afirman que "a pesar de que el mercado bursátil español es ...21... estos momen-

tos el que mejor se ha comportado ...22.. lo que va ...22 bis.. año, recomendaríamos ...23.. los inversores realizar beneficios ...24.. volver ...25... entrar ...26.. el tercer trimestre".

4 - Los autores ...27... estudio añaden que el índice general ...28.. la Bolsa ...29.. Madrid ha descontado ya una bajada ...30... los beneficios empresariales ...31.. este año.

Otros valores

5 - Cristalería Española, Nissan Motor Ibérica y Uralita son mencionados ..32... el estudio como valores que cotizan ...33.. un descuento importante y que deberían beneficiarse más adelante ..34... la eliminación ...35... las restricciones crediticias, así como ..36... la bajada ..37... precio ..38... dinero.

Expansión

MANOS A LA OBRA

 ADEMÁS DE RENTABILIDAD, ¿QUÉ LE PEDIRÍA A UNA BUENA INVERSIÓN?

Encuentre el contenido de los siguientes titulares:

1 - MENOR RIESGO

2 - QUE SE AJUSTE A UNAS NECESIDADES CONCRETAS

3 - VENTAJAS FISCALES

4 - LIQUIDEZ INMEDIATA

5 - INFORMACIÓN SENCILLA Y DETALLADA

a) Los fondos que no reparten dividendos van acumulando día a día los beneficios obtenidos, incrementando el valor de la participación.
Usted elegirá el momento más adecuado a su situación patrimonial para realizar beneficios.
Los beneficios no están sujetos a retención fiscal.

b) Por cada operación que realice recibirá un certificado resguardo con indicación del Fondo adquirido, el número de partipaciones objeto de la transacción, etc.

c) Nuestros expertos le aconsejarán teniendo en cuenta su particular situación, para que la elección sea la mejor para usted.

d) Se trata de plantear una diversificación adecuada para obtener de su inversión la mayor rentabilidad, de acuerdo con las condiciones del mercado en cada momento.

e) Los fondos son una forma abierta de inversión. Usted puede solicitar la salida del Fondo en cualquier momento. En un máximo de tres días le será reembolsado el valor de la participación a la cotización del día de la solicitud de reembolso.

MANOS A LA OBRA

EN EL CHIRINGUITO "CASA MANOLO"

Escriba las preposiciones adecuadas en los espacios en blanco.

Guía: ¿Le parece bien la mesa .....1...... fondo? El lugar es sencillo, pero sirven unas tapas estupendas.

Ramón: Perfecto. .....2..... propósito, ¿por qué no nos hablamos ....3.... tú?

Guía: ....4....... supuesto. Me llamo Fede.

Ramón: Yo, Ramón. ¿Qué vamos .....5..... tomar?

Fede: Pues mira, Ramón, yo te recomendaría pulpo ....6.... la gallega. Está .....7..... muerte.

Ramón: No lo pensemos más, y ....8.... beber, ¿una caña?

Fede: Vale. Oye, ¿sabes que me suena tu cara?

Ramón: Es curioso que lo digas, porque ...9..... mí también me recuerdas .....10.... alguien. ¿No estudiarías ...11... la Talle?

Fede: No. Yo estudié ..12... el instituto que estaba enfrente ...13.. colegio "Las Damas Blancas".

Ramón: ¡Ah! Pues ..14... ese colegio estudiaba mi hermana.

Fede: ¡Oye! Tu hermana ¿no se llamará Laurita?

Ramón: Sí, pero ahora ya es Laura, ...15... "-ita". ¡Ya sé ...16... qué te conozco! Tú eres Fede, el terror ...17.. las monjas. Te recuerdo siempre ....18.... el tirachinas.

Fede: ¡Pero hombre, si tengo ...19.. mí ...20.... Ramoncín, el guardián de Laurita! ....21..... cierto, ¿qué es ...22.... su vida?

Ramón: Se dedica ...23.. asesorar empresas ...24..... países ...25.... vías .....26...... desarrollo. Ahora acaba ...27... llegar ...28.. Nigeria.

Fede: ¡Vaya, vaya ..29.... Laurita!.

Bla Bla Bla.

ACTIVIDADES

1. Es usted el encargado de redactar las noticias sobre Bolsa que publica el periódico donde trabaja. Tomando como modelo el artículo sobre el descenso de la Bolsa en Nueva York, redacte uno parecido sobre su país o un país imaginario. Invéntese los datos.

Continúa el descenso de la Bolsa de Nueva York

EL PAIS, Madrid

La Bolsa de Nueva York acaparó nuevamente la atención de los inversores internacionales, ya que ayer, miércoles, el mercado de Wall Strett abrió nuevamente a la baja.

La noticia del día fue un comunicado del fabricante de ordenadores DIGICOM, que confesó en una reunión de analistas que sus beneficios del segundo trimestre serían sustancialmente inferiores a lo previsto. DIGICOM informó que tan sólo cabía esperar unas ganancias de 25 centavos por acción, cuando las expectativas eran aproximadamente de un dólar.

El valor suspendió cotización y abrió a más de diez puntos a la baja, lo cual le sitúa a la mitad del precio que tenía hace tan sólo unas semanas. Ello provocó una oleada de ventas, cediendo en su precio valores de compañías del sector de la informática. El índice Dow Jones acusaba el golpe, y tras haber perdido casi 100 puntos en las últimas dos sesiones, proseguía su desliz con otros 21,4 puntos para cerrar a 2.865,38 puntos, ante el mal comportamiento de una industria tan vital como es la del sector de computadoras. Los mercados de renta fija no ayudaban con su comportamiento a mejorar la situación, aunque tras las fuertes pérdidas sufridas en la sesión del martes, el bono de referencia del Tesoro norteamericano se colocaba con un rendimiento del 8,32%, comparado con el 8,38% de la sesión anterior.

Adaptado de *El País*

2. Simulación: aconseje a su compañero sobre las inversiones que debe realizar en Bolsa. ¿qué acciones, opciones....le recomienda? ¡Convénzalo!

3. Debate: ¿Hacia una Bolsa internacional? ¿Tienden las Bolsas nacionales a desaparecer?

LAS JUBILADAS QUE SIENTAN CÁTEDRA EN WALL STREET

Se ha convertido en el club financiero de moda en Estados Unidos. Son dieciséis señoras, entre 41 y 87 años de edad, religiosas y activistas sociales en su comunidad. Viven en un pueblo de 6.000 habitantes rodeado de campos de trigo en el estado de Illinois, a unas tres horas en coche al sur de Chicago. Son las llamadas *Damas de Beardstown* que se han hecho famosas de la noche a la mañana.

Sus profesiones varían entre amas de casa, una profesora de escuela retirada, la propietaria de una tienda de flores, una administrativa de banco, también retirada, una agente de seguros, dos granjeras y una agente inmobiliaria, entre otras posiciones.

Empezaron a invertir hace diez años. Desde entonces, la rentabilidad anual de su cartera de acciones ha sido del 23,4 por ciento, el doble que la ofrecida por el índice *Standard & Poor's* 500. Los activos del club suman hoy sólo 80.000 dólares y cada una de ellas se compromete a añadir 25 dólares al mes para seguir comprando.

Pero tan escaso volumen es lo de menos en este caso. Lo importante es lo ejemplificante que resulta para un pequeño inversor. ¿Su lema para la inversión? El sentido común.

Se reúnen todos los meses en algún local de su población, ya sea en una de las iglesias locales o en un restaurante. Empiezan las reuniones con una plegaria o un poema, discuten el orden del día y se ponen manos en la masa para hablar, por ejemplo, de si es mejor comprar acciones de Pepsico o de Coca Cola.

Los inicios

Las *Damas de Beardstown* es uno más, y uno de los más rentables, entre los doce mil clubs de inversores aficionados que hay en Estados Unidos, oficialmente reconocidos por la Asociación Nacional de Grupos de Inversores.

Lo que les llevó a unir sus fuerzas hace diez años fue el deseo conjunto de intentar ver la mejor manera de gestionar sus pequeños ahorros. Su segundo objetivo es disfrutar y «reír cuando las acciones de una empresa que hemos elegido van mal». El tercer y último objetivo de estas damas es ganar dinero. Y para enseñar a otros la manera en que ellas han tenido éxito en la bolsa, para que formen su propio club de inversores, han escrito un libro con recetas de cocina incluidas.

Las dos principales herramientas que la inversoras usan son la *newsletter The Value Line*, que ofrece análisis sobre las principales empresas que cotizan en bolsa y cuadros descriptivos de sus estados económicos; y *The Wall Street Journal*, que sirve a las dieciséis señoras para seguir los valores diarios de las empresas y las noticias que podrían afectar a su evolución.

Una tercera herramienta la crean ellas mismas. Son unas hojas de información sobre las empresas en las que, mes a mes, mantienen un escrutinio de los siguientes datos; precio por acción, *ratio* de precio por beneficio o *per* comparado con la media del *per* del sector, seguridad de la inversión y momento en el que se encuentra en el mercado. Estos dos últimos datos, según las tablas de *The Value Line*.

COMPRENSIÓN LECTORA

Tras establecer las pautas del negocio, a las inversoras de Ilinois les faltaba el requerimiento obligado: seleccionar el *broker* que les ayudaría a ejecutar sus órdenes. Su apuesta es por un *broker* que no cobre demasiado por las comisiones de compra y venta, que asesore cuando se le pida y que entienda las demandas y las características de un club de inversión. [...]

Además de por ganar mucho dinero, las Damas de Beardstown se han hecho famosas por su libro de buenos consejos para invertir en la bolsa. Aquí hay algunos de ellos.

1. Que la empresa en que se quiera invertir sea una de las veinticinco primeras de su sector.

2. Que la deuda de la compañía no sea más que una tercera parte de los activos totales.

3. Que la empresa no sea más volátil que el mercado en general. En este caso estudian el *ratio beta*, que debe estar entre 0,90 y 1,10.

4. Que las compañías lleven cinco años de crecimiento en ventas, y que las previsiones para los próximos años sean también iguales.

5. Que el valor de la empresa no cueste más de 25 dólares la acción.

6. Que sean compañías gestionadas por la gente correcta.

7. Evitar comprar acciones de empresas cuyo valor haya crecido ya un cien por ciento en los últimos cinco años, aunque con excepciones.

8. Es malo que las ventas crezcan más rápido que los beneficios.

9. Es negativo que una compañía pague más de un cincuenta por ciento de sus beneficios en dividendos.

Adaptado de *Actualidad Económica*

COMPRENSIÓN LECTORA

UN CLUB DE SEÑORAS CONSIGUE DUPLICAR
LA RENTABILIDAD DE LA BOLSA DE NUEVA YORK

Si alguien cree que para ganar dinero en bolsa se tiene que ser un profesional de Wall Street anda equivocado. Dieciseis señoras de un pueblo del estado de Illinois baten récords.

1. ¿Quiénes son las "Damas de Beardstown?

2. ¿Cuales eran sus objetivos cuando crearon el club de inversión?

3. ¿Qué consta en las hojas de información que ha creado el club de inversión?

4. ¿Cómo es el broker ideal, según las damas de Beardstown?

5. ¿Está usted de acuerdo con sus recetas?

COMPRENSIÓN AUDITIVA

José María López Arcas, agente de Bolsa, inspector de Finanzas del Estado, Doctor en Derecho y economista, ha defendido en la Universidad de Deusto de Bilbao su tesis doctoral sobre la necesidad de una única Bolsa Europea. En la entrevista concedida al periódico "Expansión" comenta algunos aspectos de su tesis.

1

¿Cuál es el contenido de su tesis?

- Escuche la primera pregunta y la respuesta dada por el Sr. López Arcas. A continuación escriba lo que pretende su tesis.

2

¿Cómo sería esa única Bolsa?

- Escuche la segunda pregunta y la respuesta dada. A continuación indique si las frases siguientes son verdaderas o falsas.

a) Esa Bolsa sería internacional.

b) Esa Bolsa no contaría con el apoyo de ningún banco.

c) Esa Bolsa estaría conectada con los demás sistemas bursátiles.

d) Esa Bolsa no estaría informatizada.

VERDADERO	FALSO

3

¿Qué títulos cotizarían en esa Bolsa?

- Escuche la tercera pregunta y la respuesta dada. A continuación escriba un resumen de la contestación, ayudándose de las palabras siguientes.

mercado
valores
cotizar
sistemas bursátiles

4

¿Es la Bolsa europea una decisión fundamentalmente política?

- Escuche la última pregunta y la respuesta dada. A continuación complete la contestación con las palabras que faltan.

No. Esta misma pregunta me la he .... yo en mi tesis doctoral y la respuesta final es negativa. La tesis .... a una primera conclusión, y es que el proceso de .... de los mercados .... europeos es algo que, aunque no fuera .... económicamente deriva del proceso de unidad europea. Pero a continuación me hago la .... de si además de esta .... de tipo político, no existe tambien una razón .... que lo aconseje, y entiendo que existe claramente, sobre la base tanto de la diferencia .... horaria europea, como del problema de .... los costes operativos de tantos mercados, como del tamaño de nuestros ....

LOS IMPUESTOS

 DIÁLOGO

El señor Giorgio Moretti va a visitar al señor Enrique Santiesteban, *asesor fiscal*.

Sr. Santiesteban: Buenas tardes, Sr. Moretti ¿en qué puedo serle útil?

Sr. Moretti: Buenas tardes, Sr. Santiesteban, ¿recuerda que le llamé la semana pasada desde Torino para concertar una entrevista con usted con el fin de que me informara del *sistema fiscal* español? Tal como le comenté entonces, estoy pensando en montar un negocio aquí en Burgos y desconozco las *obligaciones tributarias* del Estado español.

Sr. Santiesteban: Bueno, no sólo es el Estado el que impone unos *tributos*, sino también el Municipio, y los *impuestos municipales* son varios, el de radicación, el de circulación, la *contribución territorial*. Y, en su caso, este último sería uno con el que se debe contar, ya que usted posee un *inmueble* en propiedad.

Sr. Moretti: Perdone, pero ya empiezo por no entender eso de la contribución territorial ¿Existe ese tributo en mi país?

Sr. Santiesteban: Por supuesto, es el impuesto sobre la propiedad urbana establecido por las corporaciones locales.

Sr. Moretti: ¡Aha! ¡Ya comprendo!

Sr. Santiesteban: En fin, vayamos por partes; en su caso, si se trata de una empresa radicada totalmente en España, ha de tener en cuenta en primer lugar el *impuesto sobre beneficios de sociedades,* que tal como su nombre indica *grava* los beneficios de las sociedades al final de cada *ejercicio fiscal,* con un tipo impositivo que puede oscilar.

Sr. Moretti: Espero que sea inferior al de Italia.

Sr. Santiesteban: Por otro lado está el *IVA,* cuyo porcentaje depende del producto que se venda.

Sr. Moretti: Exactamente igual que en mi país.

Sr. Santiesteban: Y no debemos olvidar el *impuesto* sobre *transmisiones patrimonia-les* que grava la transmisión de activos no sometidos a IVA.

Sr. Moretti: Un aspecto fundamental y del que todavía no hemos hablado es el de las *deducciones fiscales*.

Sr. Santiesteban: Naturalmente, es un punto importante que se ha de tener en cuenta, sin embargo, ahora le daré únicamente unas notas sobre el tema, pues de todo ello podemos hablar más extensamente cuando usted ya esté completamente decidido a instalarse aquí.

Sr. Moretti: Tiene razón, de momento no me es fácil retener en mi cabeza tanta información.

Sr. Santiesteban: Así que, de momento, le indicaré que tendría una *deducción* de sus impuestos por creación de empleo, por *investigación y desarrollo*, por *inversión en activos*, por invertir en zonas de reindustrialización.....

Sr. Moretti: Todo ello es muy interesante. Creo que ahora mi visión del sistema fiscal es ya más clara. ¿Podemos encontrarnos la semana próxima cuando yo ya tenga más datos de mi socio?

Sr. Santiesteban: Cuando quiera, estoy siempre a su disposición. Hasta pronto, Sr. Moretti.

Sr. Moretti: Hasta pronto.

VOCABULARIO

A

Asesor fiscal:
Encargado de aconsejar en lo referente a los impuestos.

C

Contribución territorial:
Tributo sobre la propiedad urbana o rústica establecido por las corporaciones locales.

D

Deducción fiscal:
Cantidad que se puede deducir de la cuota tributaria, en función de una previa autorización legal.

Deducción:
Descuento que se hace de una cantidad.

E

Ejercicio fiscal:
Período anual a efectos del presupuesto de la Administración y del devengo de algunos impuestos.

G

Gravar:
Imponer una carga o tributo.

I

Impuesto de transmisiones patrimoniales:
Impuesto que grava la transmisión de patrimonio por herencia de unas personas a sus sucesores.

Impuestos municipales:
Tributo creado por ley del cual se sirve el municipio para hacer frente a sus necesidades.

Impuesto sobre beneficios de sociedades:
Impuesto proporcional que grava los beneficios de las sociedades.

Inmueble:
Bienes raíces.

Inversión en activos:
Compra de bienes de capital o servicios para producir bienes de consumo.

Investigación y desarrollo (I+D):
Conjunto de actividades dirigidas a mejorar e innovar los productos y procesos de una empresa desde el punto de vista tecnológico, y no desde el comercial.

IVA:
Acrónimo de "impuesto sobre el valor añadido". Impuesto que grava solamente el valor añadido creado en cada fase del proceso productivo.

O

Obligaciones tributarias:
Necesidad de pagar impuestos.

S

Sistema fiscal:
Conjunto de principios, instituciones y reglas que determinan, recaudan y gestionan los tributos de un país.

T

Tipo impositivo:
Tasa porcentual que se aplica a la base imponible para obtener la cuota tributaria.

Tributo:
Prestación pecuniaria coactiva regida por los principios de legalidad y de capacidad contributiva, de la cual se sirve el Estado para obtener los medios económicos necesarios para el cumplimiento de sus fines.

OBSE**R**VE

Tal como

le comenté entonces...
demuestra su informe...
quedamos ayer...

Función: Para retomar un tema.

● ● ● ● ● ● ● ● ●

Se trata de

una empresa radicada totalmente en España.
un impuesto indirecto.
poner al día este asunto.

Función: Para introducir un tema.

● ● ● ● ● ● ● ● ●

Vayamos por partes,

en primer lugar está el impuesto sobre beneficios de sociedades.
ante todo le informaré de mis honorarios.
antes que nada quiero dejar muy clara mi postura ante este hecho.

Función: Para ordenar una argumentación.

● ● ● ● ● ● ● ● ●

En su caso,

puede haber una deducción en los impuestos.
lo mejor sería instalarse aquí.
le aconsejaría hacer una declaración conjunta.

Función: Para indicar la circunstancia del interlocutor.

● ● ● ● ● ● ● ● ●

No debemos olvidar

el impuesto sobre tranmisiones patrimoniales.
que el día 30 acaba el plazo para pagar la renta.
rellenar todos los formularios.

Función: Para insistir en un punto.

● ● ● ● ● ● ● ● ●

Un punto a tener en cuenta

es el de las deducciones fiscales.
es el incremento del coste de la vida.
es la evasión de capitales.

Función: Para fijar la atención en un punto.

RECUE**R**DE

ESTILO INDIRECTO

Cuando el verbo introductor está en Pretérito Indefinido (***dijo***), el verbo de la frase indirecta está en:

a) Pretérito Pluscuamperfecto de Indicativo para indicar anterioridad.
   Dijo *que **había puesto** en marcha un mecanismo.*

b) Pretérito Imperfecto de Indicativo para indicar simultaneidad.
   Dijo *que Hacienda **preparaba** un decreto.*

c) Condicional para indicar posterioridad.
   Dijo *que **habría** una fuerte disminución de las retenciones.*

MANOS A LA OBRA

Escriba en los espacios en blanco las expresiones siguientes que usted ya conoce por aparecer en el diálogo de esta unidad.

tal como....

se trata de....

vayamos por partes....

un punto a tener en cuenta....

en su caso....

no debemos olvidar....

● Estoy preocupadísimo, no sé cómo solucionar mi problema.

● ¿De qué problema se trata?

● ....1............... que no sé qué deducciones puedo aplicar a mi declaración de renta.

● Vamos a ver, ...2.................., primero pensemos en las deducciones familiares que, ...3............, como tiene cuatro hijos, serán de 19.000 ptas. por cada uno.

● ¡Ah, es verdad!............4................ lo hice el pasado año.

● Sí, claro y ....5............... que su suegra vive también con ustedes y por cada miembro de la familia de 70 años o más la deducción es de 14.300 ptas.

● Es cierto, desde que ella se quedó viuda vive con nosotros.

● Y ....6............... es que usted tiene un plan de pensiones.

● ¿Eso es también deducible?

● Efectivamente, un 15%.

● Gracias por su ayuda señor Torras, sin usted me hubiera encontrado totalmente perdido.

LOS SALARIOS EN ESPECIE

Escriba el verbo que está entre paréntesis en la forma correcta del presente de indicativo o de subjuntivo.

Uno de los aspectos que introduce el proyecto de ley del IRPF, (ser) ....1..... el nuevo tratamiento fiscal que (ir) ......2....... a recibir las retribuciones en especie de las rentas del trabajo personal (salarios).

El todavía vigente texto del IRPF (establecer) ....3......... que se considerarán sujetas al impuesto todas las retribuciones, tanto las dinerarias como las obtenidas en especie, siempre que (formar) ....4........ parte y se (derivar) ....5........... exclusivamente como contraprestación de un trabajo personal.

La definición de la retribución en especie es la siguiente: "La utilización, consumo u obtención, para fines particulares, de bienes, derechos o servicios de forma gratuita o por precio inferior al normal del mercado, aun cuando (suponer) ....6........ un gasto real para quien los (conceder) ....7................ .

MANOS A LA OBRA

IMPUESTOS DIRECTOS E INDIRECTOS

a

Elija la palabra que falta en cada frase.

1. El Estado...................... por impuestos directos 3,5 billones de pesetas durante los siete primeros meses del año.

a) pagó

b **b)** superó

c) ingresó

d) destacó

c

2. Esto supone un .... del 22,5 por ciento en la recaudación de este tipo de impuestos.

a) problema

d **b)** incremento

c) crédito

d) impuesto

3. La evolución de los impuestos indirectos viene determinada por el aumento de la .... del IRPF.

a) recaudación

b) operación

c) consecuencia

d) duración

4. Los impuestos indirectos crecieron un 6,4 por ciento, lo que permitió................... 2,5 billones de ptas. hasta finales de julio.

a) solicitar

b) ingresar

c) adquirir

d) transferir

5. Dentro de esta recaudación indirecta el IVA situó su........... de crecimiento anual en el 10,1 por ciento.

a) capacidad

b) obligación

c) tasa

d) componente

MANOS A LA OBRA

LOS IMPUESTOS

LAS RETENCIONES A CUENTA DEL IRPF BAJARÁN EN ENERO
Escriba en estilo indirecto todas las frases pronunciadas por el secretario de Estado de Hacienda. Cambiarán las formas verbales subrayadas.

1. "<u>Habrá</u> una fuerte disminución de las retenciones que se <u>hacen</u> en las nóminas a cuenta del pago del impuesto sobre la renta de las personas físicas (IRPF)".

Él dijo que...

2. "El nuevo reglamento del IRPF <u>entrará</u> en vigor el 1 de enero con el fin de que se <u>pueda</u> aplicar ya a las nóminas que los trabajadores <u>cobren</u> en el mes de enero".

Él dijo que...

3. "Paralelamente al reglamento del IRPF, Hacienda <u>prepara</u> un decreto por el que se <u>desarrolla</u> la nueva ordenanza de los planes de ahorro popular, para que las rentas disponibles de los contribuyentes se <u>canalicen</u> hacia el ahorro en lugar del consumo".

Él dijo que...

4. "En los presupuestos del próximo año se <u>contempla</u> un fuerte incremento por el pago de intereses de la Deuda Pública, que se <u>debe</u> a que <u>hemos querido</u> pecar de realistas para evitar que se <u>produzcan</u> desviaciones como ha pasado en años anteriores. Pero en absoluto <u>significa</u> que <u>haya fracasado</u> el mecanismo que Hacienda <u>ha puesto</u> en marcha para que <u>aflore</u> el dinero negro".

Él dijo que...

CUMPLIMENTANDO LA DECLARACIÓN DE LA RENTA

Ordene el siguiente diálogo:

a) Eso hay que ponerlo en rendimientos del capital inmobiliario. Y también el 2% del valor catastral del piso.

b) Buena idea. Mejor empecemos por todo lo que desgrave.

c) Creo que sigue siendo más beneficioso declarar separadamente. Empecemos por mis ingresos. Eso es fácil porque sólo tengo los de rendimiento del trabajo. Luego está el alquiler...

d) ¿Qué hacemos este año? ¿Declaración conjunta o separada?

e) Sí, pero hay que ir con cuidado, que no nos pongan una multa por fraude.

f) Bueno, recuerda que podemos deducir el importe del impuesto sobre bienes inmuebles.

MANOS A LA OBRA

B l a

EN LA COCKTELERÍA "LOADAS"

Ponga los verbos en la forma correcta.

El Sr. Giorgio Moretti está en la cocktelería "Loadas" con su amigo Pepe Lozano. Están esperando a la hermana del sr. Moretti que hace pocos días que llegó de Italia.

B l a

Sr. Moretti: *Espero que Gina no (tardar) ....1..... porque (yo) (tener) ....2......... que irme pronto.*

Sr. Lozano: *No (dejarme) ....3...... (tú) solo con ella que no la (conocer) .....4......*

Sr. Moretti: *No (preocuparte) ....5......, es muy simpática y tú me (hacer) ....6..... un favor ocupándote de ella un par de horas, mientras (yo) (consultar) ......7....... la información que me (dar) ....8.... el asesor fiscal.*

Sr. Lozano: *¿Qué te ha parecido el señor Santiesteban?*

Sr. Moretti: *Muy profesional.*

B l a.

Sr. Lozano: *Cuando yo le (consultar) ......9....... el año pasado, me (aconsejar) ....10........ muy bien. Este año (yo) (pagar) ....11......... menos impuestos que el año anterior.*

Sr. Moretti: *Ojalá me (pasar) ...12... lo mismo. ¡Mira, ya (llegar) .....13... Gina!*

Gina: *Perdonad que os (haber hecho) .....14..... esperar.*

Sr. Moretti: *Gina, te (presentar) .....15..... a Pepe, el mejor amigo que (yo) (tener) ....16........ en España.*

Sr. Lozano: *¿Qué tal, Gina? ¿(Querer) (tú) ......17........ tomar algo?.*

Gina: *A ver ....., quizás un "Ministro" ¿(Llevar) ...18.... alcohol?*

Sr. Lozano: *No creo que (llevar) ...19.... , porque es el que yo (tomar) ......20....... ahora y no noto nada.*

Sr. Moretti: *Bueno, ya veo que os (llevar) ....21........... bien, espero que no os (importar) ...22.... que (yo) (irme) ....23........ .*

Gina: *Antes de irte (decirme) (tú) ......24....... cómo quedamos tú y yo.*

Sr. Moretti: *¡(Ir) (tú) ...25... a casa! No (esperarme) .....26..... hasta luego, Pepe.*

Bla Bla Bla.

● ● ●

ACTIVIDADES

1. Simulación:
Es usted un joven empresario que quiere montar un negocio inmobiliario en España. Pídale a su compañero que le asesore sobre cuáles pueden ser sus deberes fiscales.

2. Si usted fuera el nuevo Ministro de Hacienda, ¿qué impuestos suprimiría? ¿cuáles añadiría? ¿por qué?. Razone su respuesta. Coméntelo con sus compañeros. Intenten llegar a un acuerdo.

3. Debate: ¿Hasta qué punto puede aumentarse la presión fiscal para conseguir un mayor "Estado de Bienestar"?

El Nobel de Economía premia a Mirrlees y a Vickrey, padres del sistema fiscal moderno

Los galardonados han estudiado el papel de los incentivos y la información simétrica

James Mirrlees (Escocia)

Principal aportación: Incentivos económicos con información asimétrica.
Aplicación: Desarrollo económico, mercado de seguros, mercados de crédito, subastas, estructura empresarial, sistemas tributarios.

William Vickrey (Canadá)

Principal aportación: Reforma tributaria para evitar la penalización de la productividad.
Aplicación: Financiación de los servicios públicos.

Adaptado de *CINCO DÍAS*

BARCELONA (Redacción)
La Academia sueca de Ciencias concede el premio Nobel de Economía al profesor británico James A. Mirrlees y al profesor estadounidense de origen canadiense William Vickrey por su estudios sobre el papel económico de los incentivos y el comportamiento de los agentes económicos cuando tienen una información incompleta o asimétrica. Estos estudios se consideran base de los modernos sistemas del impuesto sobre la renta y sobre el valor añadido y se aplican también a otros ámbitos como la organización de subastas, la inversión en países en vías de desarrollo, la concesión de créditos bancarios o la fijación de primas de seguros.

Willian Vickrey empezó a ser conocido en los años cuarenta por sus estudios sobre el impuesto sobre la renta, que echaron abajo la teoría de que los impuestos habían de utilizarse para neutralizar las diferencias de ingresos entre los ciudadanos, a través de una fuerte progresividad fiscal. Vickrey planteó por primera vez el conflicto entre eficiencia y equidad, que hace que una progresividad excesiva re-

duzca el incentivo individual para trabajar, y propuso una escala de tipos impositivos que no penalizara la productividad de los ciudadanos.

Veinticinco años más tarde James A. Mirrlees completó matemáticamente el trabajo de Vickrey, aunque ambos no se conocían personalmente, y extendió sus conclusiones a otras áreas de la economía.

Mirrlees ha centrado su investigación en buscar el nivel impositivo óptimo para maximizar la recaudación fiscal y no reducir el incentivo de cada ciudadano para trabajar más. Sobre su país, Gran Bretaña, Mirrlees asegura, por ejemplo, que la presión fiscal "podría ser razonablemente mayor, particularmente para los contribuyentes con rentas medias". A su juicio, el tipo medio de los impuestos sobre la renta y el valor añadido no llega al 50% y "podría subirse. Introduciría un desincentivo -reconoce-, pero se podrían usar los ingresos adicionales para pagar la sanidad, la educación y el estado del bienestar".

Adaptado de *LA VANGUARDIA*

COMPRENSIÓN LECTORA

Los criterios sobre la forma de gravar los ingresos han preocupado siempre a economistas y políticos y se han barajado principios diferentes. En un trabajo clásico publicado en 1897 por el profesor de Oxford Francis Y. Edgeworth, éste llegó a la conclusión de que todas la diferencias de ingresos debían igualarse progresivamente mediante la aplicación de una escala impositiva. A mediados de los años cuarenta, Vickrey, en su análisis, enfatizó que una escala progresiva resultaría inhibidora del esfuerzo de los individuos y reformuló el problema teniendo en cuenta los problemas de la incitación y de las informaciones asimétricas.

Mirrlees retomó estos problemas y aportó soluciones tan convincentes que hicieron escuela en la solución de una serie de cuestiones económicas donde las informaciones diferentes juegan un papel importante.

Adaptado de *EL PAIS*

Mirrlees ha analizado los impuestos sobre el valor añadido (IVA) y su relación con la eficacia social, llegando a la conclusión de que las pequeñas economías abiertas no deben imponer tasas al comercio exterior, "mientras que otros impuestos sobre factores como el trabajo y el capital no debían cargarse a la producción, sino al consumo".

Vickrey, partidario de un sistema fiscal progresista, ha propuesto fórmulas de simplificación de los códigos tributarios para eliminar muchas de sus "injusticias".

Adaptado de *EXPANSIÓN*

---

1. ¿Qué sostenía en sus estudios el profesor Francis Y. Edgeworth en 1987?

2. ¿Por qué era contrario Vickrey a la progresividad fiscal?

3. ¿A qué conclusión llegó Mirrlees respecto al IVA y a su relación sobre la eficacia social?

4. En Gran Bretaña, según Mirrlees, ¿cuál podría ser el nivel impositivo óptimo?

COMPRENSIÓN AUDITIVA

ENTREVISTA A RAMÓN DRAKE, ANTIGUO SUBDIRECTOR GENERAL DEL IMPUESTO SOBRE LA RENTA Y EL PATRIMONIO

1

- Escuche la respuesta dada a la primera pregunta y rellene los espacios en blanco.

Pues no veo que .... un impuesto nuevo. Es el .... que ya tiene, si no me equivoco .... de doce años de .... , con una serie de .... Unas han .... a perfeccionarlo y otras mucho menos.

2

- Escuche la segunda pregunta: **¿qué aspectos no ha terminado de arreglar la reforma?**, y ayudándose de las palabras que le indicamos a continuación, intente dar una respuesta. A continuación escuche la respuesta del señor Drake.

- tarifa
- fuerte
- gravamen
- alto
- presión fiscal
- 50%

....
....
....

3

- Escuche la respuesta dada a la tercera pregunta: **¿cree que tal situación se puede traducir en que los contribuyentes renuncien a ganar más dinero?**, y señale lo que es verdadero o falso.

	VERDADERO	FALSO
a - Se puede llegar a un volumen de ingresos a partir del cual la gente quiera trabajar más para el fisco.		
b - Otro efecto puede ser que el contribuyente llegue a defraudar.		
c - Una tarifa progresiva fuerte puede llevar al fraude.		

4

- Escuche la cuarta pregunta: **los que defiendan los tipos impositivos españoles ponen de ejemplo a otros países europeos con una presión fiscal más elevada.......**
Tome nota de la respuesta dada por el señor Drake y a continuación reproduzca por escrito la respuesta.

Sí, en Europa...
....
....

NEGOCIACIONES

MANOS A LA OBRA

¿CUÁLES SON LAS CARACTERÍSTICAS QUE USTED CONSIDERA MÁS IMPORTANTES EN UNA ENTREVISTA DE NEGOCIOS O EN UNA NEGOCIACIÓN?

Asigne uno de estos valores a las características siguientes.

++	*muy importante*
+	*importante*
0	*sin importancia*
-	*mejor evitarla*
– –	*evitarla a toda costa*

... puntualidad

... humor

... inteligencia

... honradez

... simpatía

... generosidad

... formalidad

... persuasión

... precisión

... tuteo

... claridad de expresión

... sinceridad

... audacia en las propuestas

... audacia en el vestir

... amigos influyentes

... meticulosidad

... soborno

... forma convencional en el vestir

... llamar por el nombre

... fluidez en la conversación

... rapidez en la toma de decisiones

... dar la impresión de estar muy ocupado

... aceptación de interrupciones

Añada ahora Vd. alguna otra siguiendo el mismo código de asignación de valores.

MANOS A LA OBRA

Elija del recuadro siguiente el título adecuado para cada grupo de frases.

Obteniendo información

Empezando una negociación

Mostrando acuerdo

Sugiriendo

Mostrando desacuerdo

Aclarando posiciones

Ofreciendo

1

- Podríamos empezar exponiendo nuestros puntos de vista sobre el tema que nos ocupa.............
- Nos interesaría llegar a un acuerdo en ....
- En principio.........................

2

- ¿Qué le parecería si ....?
- ¿Por qué no..?
- Creo que deberíamos..

3

- Nuestra oferta sería..
- Podríamos aceptar...
- En última instancia estaríamos de acuerdo en ....

4

- ¿Cuál es su postura respecto a ....?
- ¿Qué opina de ....?
- ¿Qué le parece......................?

5

- De acuerdo, nos parece correcto.......................
- Creo que sería posible...
- Trato hecho.

6

- En este punto no hay posibilidad de modificar...........................
- Me temo que este aspecto queda fuera de la negociación.
- Nuestro punto de vista..........................

7

- Es imposible del todo.
- Desde todo punto de vista, imposible.
- En absoluto.
- Ni pensarlo.

¿FALSO O CORRECTO?

En las siguientes relaciones existen algunos errores, usted debe descubrirlos. Fíjese si el significado de cada frase es el mismo que el de la frase con el que está relacionada.

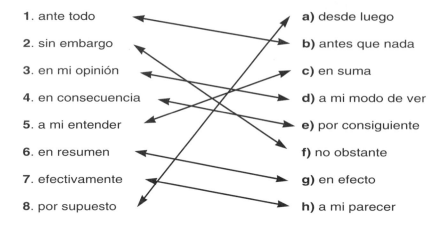

1. ante todo
2. sin embargo
3. en mi opinión
4. en consecuencia
5. a mi entender
6. en resumen
7. efectivamente
8. por supuesto

a) desde luego
b) antes que nada
c) en suma
d) a mi modo de ver
e) por consiguiente
f) no obstante
g) en efecto
h) a mi parecer

EXPRESIONES IDIOMÁTICAS

Relacione las expresiones de la columna de la izquierda con el significado que se da en la columna de la derecha.

1. Poner las cartas sobre la mesa.

2. No dar su brazo a torcer.

3. No tener pelos en la lengua.

4. Tomar el pelo.

5. Ir de cabeza.

6. Estar a la cabeza.

7. No tener ni pies ni cabeza.

8. Saber lo que se trae / lleva entre manos.

9. Ser todo oídos.

10. Costar un ojo de la cara.

a) No tener reparo en decir lo que se piensa.

b) Costar mucho dinero.

c) Carecer de sentido.

d) Estar bien enterado de los asuntos que le rodean.

e) Burlarse de alguien.

f) Hablar honradamente, sin esconder nada.

g) No ceder, mantenerse en su posición.

h) Estar muy ocupado.

i) Escuchar atentamente.

j) Estar en primer lugar.

COMPRENSIÓN LECTORA

(°)

El buen negociador nace, pero también se hace

El arte de negociar es innato, pero hay reglas que facilitan el aprendizaje, como rechazar la primera oferta de la parte contraria o establecer un punto de ruptura más allá del cual no es posible seguir negociando. Estas son las recomendaciones de un experto, Samfrits Le Poole, que previene a los españoles del hábito de improvisar sobre la marcha.

- "Es necesario conocer la situación financiera del adversario, sus problemas....."
- "Los mejores negociadores son los japoneses, capaces de pasarse días intentando conocer a su oponente. Los peores, los norteamericanos, que piensan que las cosas funcionan igual que en su país en todas partes"

"Si aceptase la primera oferta de la parte contraria, sólo conseguiría frustrar a su oponente, que se sentiría como un tonto por haberse extralimitado en su generosidad". Éste es uno de los consejos de Samfrits Le Poole, presidente del Instituto Internacional de Negociación y Mediación, de Amsterdam.

En esta misma línea, recuerda que jamás debe olvidarse que las ofertas que resultan sorprendentemente bajas tienen otros efectos secundarios positivos: todo lo que venga después parecerá bueno, aunque jamás se deben adoptar posturas iniciales extremas".

Le Poole, consultor holandés con veinte años de experiencia en este campo, impartió recientemente un seminario organizado por Consultores Españoles. Dividió a los participantes en dos grupos y, mediante la simulación de negociaciones concretas, fue transmitiéndoles sus principios para triunfar en las negociaciones.

En primer lugar, aconseja mantener siempre la posibilidad de abandonar la negociación sin que ello suponga un grave problema. "Si hay que buscar la salida a una huelga o resolver una desavenencia familiar, es siempre mejor alcanzar un acuerdo. Pero cuando se trata de vender un coche o una casa, a veces una ruptura a tiempo es una victoria".

Decálogo

El autor de *Cómo negociar con éxito*, libro

recientemente reeditado por Deusto, establece algunas de las características del negociador ideal, que debe ser razonable, racional y realista.

Tras recordar que cuando más hable uno, más aprenderá el oponente, Le Poole acentúa la importancia de la inventiva, la creatividad y la perseverancia, que lleva a no aceptar jamás un *no* por respuesta.

Resultará especialmente útil, para el buen negociador, disponer de una inclinación natural a asumir el mando y tomar iniciativas, así como poseer una mente analítica, capacidad de autocontrol y el don de la persuasión.

En sentido contrario, el peor rasgo para un profesional sería, según Le Poole, el ansia de agradar.

"Un negociador no puede evitar mostrarse poco razonable en algunas ocasiones".

Esta actividad está vetada, según Le Poole, a quienes sean demasiado emotivos, tengan tendencias a entablar peleas o discusiones, o un desmedido afán de autopromoción, careciendo al tiempo de espíritu de autocrítica y capacidad de introspección.

En un tiempo de movilidad incesante, Le Poole aporta otros tres consejos: no mentir nunca, no humillar al adversario y no decir jamás algo que no pueda apoyarse en argumentos sólidos. Conviene recordar que la que es parte contraria, puede ser socio al día siguiente.

Preparación

"Lo ideal es preparar perfectamente las sesiones de negociación. En primer lugar, resulta importante conocer bien al oponente e, incluso, las costumbres y usos de su país: no es lo mismo negociar con los japoneses que con los americanos". Es aconsejable disponer del mayor caudal posible de información antes de sentarse a discutir.

Para este experto, los mejores negociadores son los japoneses, "muy pacientes, capaces de pasarse días intentando conocer a su oponente".

Los peores son los norteamericanos, "impacientes, pésimos cuando tienen que tratar con personas de otros países, pues piensan que, allá donde van, las cosas funcionan igual que en Estados Unidos".

"También es imprescindible - añade Le Poole - estar al tanto de la situación financiera del adversario, sus problemas internos, sus características como negocia-dor, su personalidad, las razones que le han llevado a sentarse en la mesa de negociaciones, su necesidad de llegar a un acuerdo o la capacidad real que tiene a la hora de tomar decisiones".

Recomienda el juego limpio, pero advierte sobre la *picaresca* que en ocasiones caracteriza a las largas sesiones: por ejemplo, si su oponente le hace esperar demasiado tiempo, pídale a su secretaria permiso para llamar a cualquier socio, con tal de que viva en las antípodas. Verá que rápido le reclaman para la demorada cita".

Expansión

EL BUEN NEGOCIADOR NACE, PERO TAMBIÉN SE HACE
Complete

No serán buenos negociadores
los que sean/tengan/carezcan de..........

Los buenos negociadores deben ser..........

Deben poseer.............

No deben poseer..........

No deben hacer nunca...........

Antes de la negociación es necesario..............

Deben actuar con ....

1ª NEGOCIACIÓN

Una de las partes es la empresa SAT y pretende........

SAT

SAT S.A., una empresa internacional que posee varias plantas en todo el país, desea ahora construir una nueva en una región bastante subdesarrollada en la que existen pocas industrias. Uno de los motivos de querer instalarse allí es que el Ministerio de Economía ha propuesto una reducción de impuestos del 40% a las empresas que se trasladen a esa región; otra de las causas es que, dado el alto índice de desempleo de la zona, los salarios son inferiores a los de otras regiones del país. Por todo ello, SAT S.A. ha calculado que los costes de producción serán de un 20% más bajos. Sin embargo, hay que contar con las leyes de protección del medio ambiente y con la oposición que seguro encontrarán en la persona de Amelia Fuentes, Ministra del Medio Ambiente.

1ª NEGOCIACIÓN

La otra parte es el Ministerio del Medio Ambiente, en la persona de......

Ministerio Medio Ambiente

Usted es Sonia Blanco, secretaria de la Ministra del Medio Ambiente.

Su deber es informar a SAT S.A. de todas las leyes relacionadas con su proyecto de construir una fábrica en esa zona. Su tarea es también averiguar todo lo que pueda sobre el proyecto de la nueva planta.

1. El 40% de reducción de impuestos sólo es aplicable si se contrata a trabajadores de la región. Este punto no se aplicará a técnicos especializados.
2. No está permitido edificar fábricas de altura superior a los 10 metros (excluidas chimeneas).
3. No está permitido construir fábricas que cubran un área superior a los 5.000 m^2
4. No está permitido verter materiales en el río.Todos los residuos serán transportados fuera de la zona.
5. Todos los gases serán emitidos por chimeneas de una altura superior a los 100 metros que tengan un filtro que absorba la toxicidad de los gases.

A SAT la representa.....

SAT

Usted es Joaquín Rius, director de planificación de SAT. S.A. y responsable del proyecto. Va a tener una reunión con Sonia Blanco, secretaria de la Ministra del Medio Ambiente, para saber cuáles son las restricciones que se aplicarán a la nueva planta.

1. Usted desea contratar personal de esa región para reducir costes, no obstante, también quiere emplear a personal cualificado de otras regiones.

2. Para mayor rendimiento de la empresa, la fábrica debería tener 20 metros de altura (excluida la chimenea)

3. La planta cubrirá un área de 10.000 m².

4. Ustedes piensan echar los vertidos de la planta al río Arba, que pasa muy cerca del lugar donde piensan ustedes edificar. (Transportar la basura fuera de esa zona le añadiría un 5% a los costes de producción).

5. Ustedes van a utilizar un cierto tipo de productos que mezclados con vinilo desprenden un gas tóxico. Normalmente este gas se emite a través de chimeneas de 100 metros de altura que contienen filtros que absorben toda la toxicidad de los gases. Usted quiere instalar este tipo de chimenea en la planta.

DIÁL**O**GO

Bla

Bla

Bla.

CONVERSACIÓN TELEFÓNICA

Joaquín Rius, director de planificación de SAT S.A., telefonea a Amelia Fuentes, Ministra del Medio Ambiente.

J.R.: *¿Sra. Fuentes? soy Joaquín Rius de SAT. Le agradezco que me conceda unos minutos para hablar con usted; sé lo ocupada que está.*

A.F.: *Sí, sí, sin embargo, siempre hay tiempo para mantener un diálogo.*

J.R.: *Gracias. Bien, usted sabrá que tenemos proyectado edificar una planta en esta región.*

A.F.: *Sí, mi secretaria me lo dijo.*

J.R.: *¡Ah, sí! la señorita Sonia Blanco, ayer hablé con ella.*

A.F.: *¿Qué puedo hacer por usted, señor Rius?*

J.R.: *Por la información que recibí de la srta. Blanco hemos calculado que, según las regulaciones actuales, nos sería antieconómico construir allí, pero esperamos y deseamos que.....*

A.F.: *Disculpe que le interrumpa, sr. Rius, pero pensé que la srta. Blanco le había expuesto ya todo muy claramente.*

J.R.: *¡Oh, sí, sí! no obstante, lo cierto es que nuestro interés en construir en esa región se debe, en gran parte, a que eso ayudaría a reducir el número de parados que ahí existe y .....*

A.F.: *Y, por otro lado, aprovechar la reducción de impuestos y el bajo precio de la mano de obra.*

J.R.: *Bien, eso también, desde luego. Lo que usted no debe olvidar es el gran beneficio que reportaría a......*

A.F.: *Aprecio su punto de vista, pero esa fábrica que ustedes quieren construir produciría mucha basura industrial, al igual que gases tóxicos..............*

J.R.: *Perdone que la interrumpa, pero sobre todo eso es precisamente de lo que quería hablar con usted personalmente ¿Podría visitarla en su despacho?*

A.F.: *Sí, quizás sería mejor. ¿Le iría bien el jueves a las 3h?*

J.R.: *¡Oh, sí! desde luego.*

A.F.: *Hasta el jueves, señor Rius.*

Bla Bla Bla.

1ª NEGOCIACIÓN

Ahora, usted es Joaquín Rius, director de planificación de SAT S.A.

SAT
Joaquín Rius
Director de Planificación

Su conversación telefónica con Amelia Fuentes no parece haber sido muy satisfactoria, en realidad la posibilidad de llegar a un acuerdo parece bastante remota. Por otro lado, usted se halla bajo la presión de Carlos Soler, su director gerente, que desea que usted consiga el permiso para poder construir la nueva planta.

Amelia Fuentes estuvo de acuerdo en recibirle, así que quizás aún quedan esperanzas para llegar a un acuerdo; por otro lado, usted sabe que ella tiene plena autoridad para modificar las normas vigentes y es posible que usted logre convencerla.

Usted tiene ya toda la información que deseaba, así que dispóngase a entrevistarse con Amelia Fuentes.

1ª NEGOCIACIÓN

Y usted es Amelia Fuentes, Ministra del Medio Ambiente.

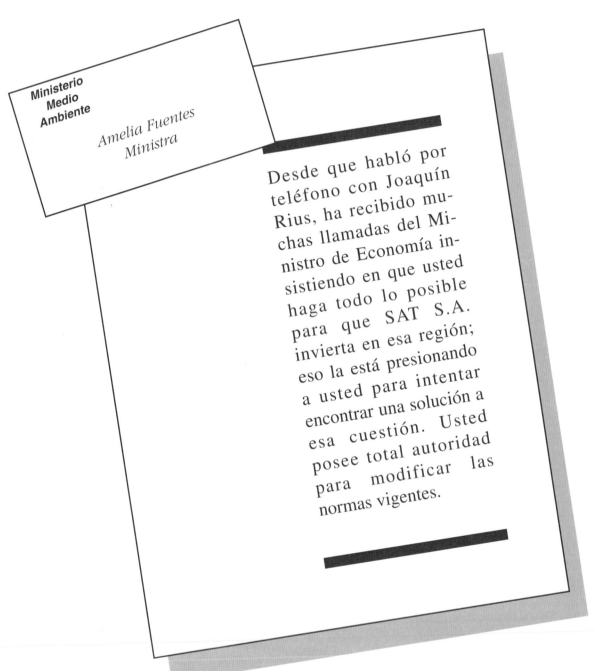

Ministerio
Medio
Ambiente

*Amelia Fuentes
Ministra*

Desde que habló por teléfono con Joaquín Rius, ha recibido muchas llamadas del Ministro de Economía insistiendo en que usted haga todo lo posible para que SAT S.A. invierta en esa región; eso la está presionando a usted para intentar encontrar una solución a esa cuestión. Usted posee total autoridad para modificar las normas vigentes.

Usted está preparada para negociar con SAT S.A., tiene ya toda la información necesaria, así que dispóngase a recibir a Joaquín Rius.

2ª NEGOCIACIÓN

Una parte es...

INDUSTRIAS LANTER

Industrias Lanter, una compañía que confecciona trajes de caballero de alta calidad, ha demostrado a lo largo de muchos años que sus prendas son de gran duración, pero introduciendo siempre diseños modernos y al día. Confecciona sus trajes de lana. Como su producción aumenta de año en año, cree que sería conveniente poseer su propia hilatura para asegurar el suministro de su materia prima.

La fábrica Algolá que les suministra la lana parece que se halla en un momento propicio para entablar conversaciones relacionadas con la posible venta de la hilatura.

y la representa...

INDUSTRIAS LANTER

Usted es Ramón Clavero, representante de Industrias Lanter.

1. Usted desea comprar la hilatura.
2. El valor de la hilatura se ha estipulado en 320 millones de pesetas, sin embargo, usted intentará adquirirla por un precio inferior.
3. Usted se compromete a hacerse cargo de la fábrica manteniendo a toda la plantilla actual, aunque no puede garantizar que vaya a haber un aumento de salarios a corto plazo.
4. En realidad usted desea reducir el número de empleados, lo que quisiera hacer a largo plazo, por lo cual usted no está dispuesto a garantizar totalmente la seguridad de los puestos de trabajo. Este punto podría ser, desde luego, algo delicado durante las negociaciones y usted debería ser muy precavido al hablar de ello.
5. Usted desea que la empresa sea dirigida según los medios más modernos de gestión, por lo que usted piensa nombrar su propio gerente, ya que no es posible que el actual gerente de Algolá continúe al frente de la misma, pues su edad es ya avanzada.

La otra parte es...........

ALGOLÁ S.A.

Algolá S.A. fue fundada en 1.850 por Santiago Aristes y ahora su biznieto Alvaro Aristes es el director gerente.
El valor de la hilatura dirigida por el sr. Aristes se calcula en unos 320 millones de pesetas.
La plantilla la componen 17 empleados, tres de los cuales se jubilarán a lo largo de los próximos cinco años.
La actitud algo paternal de la gestión que se lleva a cabo por la gerencia parece bastante anticuada, sin embargo, es bien considerada por todo el personal.
Últimamente han corrido rumores en la empresa sobre la posible venta de la misma a Industrias Lanter, empresa que confecciona trajes de caballero y a la que Algolá S.A. suministra gran parte de la lana.

y la representa.......

ALGOLÁ S.A.

Usted es Valentín Vázquez, representante de Algolá S.A.
1. Usted está bastante satisfecho con la posible compra de la empresa por parte de Industrias Lanter, ya que Alvaro Aristes tiene ya una edad avanzada para seguir dirigiendo la compañía y usted sabe que querría retirarse.
2. Usted desea que se mantenga el valor calculado de la hilatura, 320 millones de pesetas.
3. Usted quiere tener la seguridad de que ningún empleado de su empresa perderá el empleo.
4. Usted desea tener la garantía de que el sistema de trabajo no se modificará por otro más moderno (maquinaria, horas de trabajo, gestión...)
5. Para asegurar el punto 4, usted sugiere que Alvaro Aristes retenga un interés del 51% de la empresa durante los próximos 5 años; después de ese período Industrias Lanter puede comprar el resto de las acciones.

Y ahora les corresponde a Vds. llevar a cabo la negociación propuesta.

CLAVE
TRANSCRIPCIONES
GLOSARIO

UNIDAD 1
LA EMPRESA

¿Ser o estar?
1.- está/ 2.- está/ 3.- es/ 4.-está/ 5.- es/ 6.- están/ 7.- fue/es/ 8.- estar/ 9.- son/ 10.- está.

¿Es usted responsable? ¿Está usted capacitado?

Con **es**:		Con **está**:
ambicioso	mentiroso	cansado
astuto	obediente	capacitado
atrevido	observador	contento
calculador	original	desanimado
constante	responsable	enfermo
chismoso	sencillo	eufórico
expansivo	sincero	feliz
feliz	tímido	preparado
fiel	valiente	satisfecho
hábil	impulsivo	
honrado		

¿Con qué adjetivos...?
Ejercicio libre.

Expresiones... con ser.
a no ser que = excepto que / por si fuera poco = además / a poder ser= si es posible/ sea como sea = forzosamente / de no ser por = si no fuera por / no sea que = por si acaso.

Expresiones... con estar.
está visto que = es evidente/ estar seguro = no tener duda/ estar de acuerdo = tener la misma opinión/ estar al corriente de = conocer los hechos/ estar en todo = ser eficiente/ estar de enhorabuena = tener suerte.

Ordene el diálogo.
1 a .- está visto - estoy a punto/ 2 f.- no sea que/ 3 d.- estoy decidido - de no ser por - estoy seguro/ 4 b.- está al teléfono/ 5 g.- por si fuera poco/ 6 j.- es de esperar/ 7 i.-/8 c.- estoy de acuerdo/ 9 h.- a poder ser/ 10 e.- no sea que/ 11 k.- sea como sea.

Un día en la vida...
1.- se suceden/ 2.- hay/ 3.- puede/ 4.- es/ 5.- sigue/ 6.- Me levanto/ 7.- duermo/ 8.- desayuno/ 9.- leo/ 10.- pongo/ 11.- cojo/ 12.- voy/ 13.- saludo/ 14.- me cruzo/ 15.- conecto/ 16.- hay/ 17.- pone/ 18.- tengo/ 19.- me reúno/ 20.- discutimos/ 21.- hay/ 22.- pasa/ 23.- Sigo/ 24.- es/ 25.- se arriesgue/ 26.- delego/ 27.- gusta/ 28.- es.

Lo que es preciso saber de los cargos directivos.
Director de personal 5/ Director de marketing 3/ Director general 11/ Analista-programador 8/ Jefe de producción 1/ Director de producción 12/ Adjunto del director general 7/ Director general de división 6/ Jefe de explotación 4/ Product manager senior 2/ Director financiero 9/ Jefe de ventas 10.

En un restaurante en el centro de la ciudad.
1.- es/ 2.- está/ 3.- es/ 4.- ser/ 5.- somos/ 6.- están/ 7.- estoy/ 8.- estás/ 9.- estoy/ 10.- estar/ 11.- es/ 12.- es .

MANOS A LA OBRA

UNIDAD 2
RECURSOS HUMANOS

Complete.
1.- a primera vista/ 2.- de momento/ 3.- como usted sabe/ 4.- parece ser que/ 5.- desde entonces/ 6.- si le parece bien/ 7.- por cierto.

En la oficina.
1.- vi/ 2.- metiste/ 3.- vine/ 4.- me quedé/ 5.- tenía/ 6.- fuiste/ 7.- tomé/ 8.- intenté/ 9.- has hablado/ 10.- hablé/ 11.- fue/ 12.- llegamos/ 13. dijo/ 14.- pensaba/ 15.- tenía/ 16.- se solucionó.

Mujeres empresarias.
1.- Ni idea/ 2.- ¿En qué periódico lo leíste?/ 3.- Sí, es bastante lógico/ 4.- Lo encuentro normal/ 5.- No, no lo sabía.

Ramón Areces.
1.- tenía/ 2.- quería/ 3.- compró/ 4.- recibió/ 5.- estaban/ 6.- impidió/ era/ 8.- adquirió/ 9.- se trasladó/ 10.- había/ 11.- producía/ 12.- eran/ 13.- salió.

En el café.
1.- ha ido/ 2.- ha salido/ 3.- he pegado/ 4.- encontraba/ 5.- suponía/ 6.- era/ 7.- trabajó/ 8.- se retiró/ 9.- era/ 10.- tuvo/ 11.- regresó/ 12.- estaba/ 13.- tuvo/ 14.- llegó/ 15.- abrió/ 16.- había/ 17.- pudo/ 18.- se convirtió.

UNIDAD 3
MARKETING Y PUBLICIDAD
Relacione.
1.- Hacerse cargo/Responsabilizarse de 2.- De todas formas/En cualquier caso 3.- Darse a conocer/Mostrarse al público 4.- Desde luego/Por supuesto 5.- Uno de estos días/Cualquier día 6.- Fuera de serie/Extraordinario 7.- Lo cierto es /La verdad es 8.- Por cierto/A propósito 9.- Incluso/También 10.- Ya que hablamos de ello/Refiriéndonos a ello.

Ordene y finalice.
a) Deberíamos hacer más propaganda para darnos a conocer.
c) Opino lo mismo, es importante que el público nos conozca más.
e) Uno de estos días tenemos que tratar seriamente el tema de los anuncios de los nuevos productos.
f) Ya que hablas de ello te comentaré una nueva idea sobre la publicidad en la prensa.
b) Si tienes ideas, quizá podrías hacerte cargo de la nueva campaña publicitaria.
d) Por mí encantado, pero lo cierto es que...

Sustituya los infinitivos por el futuro.
1.- empezará/ 2.- harán/ 3.- tendrá/ 4.- será/ 5.- serás/ 6.- estará/habrá/ 7.- lanzaremos/ 8.- podrá/ 9.- sabré/ 10.- pondréis.

En busca del coche perdido.
2.- no tendría/ me cabría/ tuve/ cupo 3.- podría/ pude/ llegué 4.- haría/ hice 5.- sería/ fui 6.- querría/ quise o tuve que 7.- sabría/ supe 8.- volvería/ volví 9.- presumiría/ presumí 10.- me sentiría/ me sentí.

Complete con los tiempos adecuados.
1.- importan/ dejará 2.- quiere/ será o es 3.- conoce/ entrará 4.- se atreve/ se lo regalaremos 5.- es/ seremos o somos 6.- habla/ hablará 7.- ponemos/ quitarán 8.- se siente/ podremos o podemos 9.- servirán/ arranca 10.- se rinde/ lo matarás.

¿A qué puede corresponder cada eslogan?
1/c- 2/f- 3/g- 4/a- 5/b- 6/e- 7/h- 8/i- 9/j- 10/d.

Jornadas sobre la publicidad.
1.- ante todo/ 2.- al mismo tiempo/ 3.- en cuanto/ 4.- cabe destacar/ 5.- sin embargo/ 6.- asimismo/ 7.- ahora bien/ 8.- desde luego/ 9.- cabe observar/ 10.- a pesar de ello/ 11.- por el contrario.

En la cafetería de la empresa.
1.- me gustaría 2.- me apetecería 3.- podrías 4.- harías 5.- iría 6.- vendrías/ dirían/ harían 7.- me preocuparía/ empezaría 8.- podría 9.- sería/ saldría 10.- saldríamos 11.- tendríamos 12.- iríamos 13.- me gustaría 14.- preferiría 15.- deberíamos.

UNIDAD 4
SERVICIOS DE COMPRAS Y VENTAS

Escriba en los espacios en blanco.
1.- según/ 2.- me da la impresión/ 3.- ten en cuenta... tienes razón/ 4.- por poco/ 5.- está a punto de/ 6.- por suerte.

Consejos para el buen comprador.
1.- evite/ 2.- olvide/ 3.- pague/ 4.- exija/ 5.- sea - permita/ 6.- procure/ 7.- analice... conserve/ 8.- haga/ 9.- confíe-exija/ 10.- olvide-compruebe.

Fuerza de ventas.
1.- de/ 2.- por/ 3.- de/ 4.- de/ 5.- de/ 6.- en/ 7.- en/ 8.- de/ 9.- para/ 10.- en /11.- por/ 12.- de/ 13.- con/ 14.- en/ 15.- con/ 16.- de/ 17.- a/ 18.- por/ 19.- a/ 20.- de/ 21.- por/ 22.- por/ 23.- por/ 24.- en.

El coste de las ventas.
1c/ 2a/ 3g/ 4e/ 5h/ 6b/ 7d/ 8f.

Tipología de los clientes.
dominante 7/ distraído 4/ reservado 3/ locuaz 5/ indeciso 6/ vanidoso 8/ inestable 2/ lento 1.

En el bar de la esquina.
1.- perdona/ 2.- cuenta/ 3.- te preocupes/ 4.- mira/ 5.- volvamos/ 6.- hablemos 7.- trabajes/ 8.- date/ 9.- te obsesiones/ 10.- relájate/ 11.- disfruta/ 12.- dime/ 13.- sal/ 14.- traigas.

UNIDAD 5
IMPORTACIÓN Y EXPORTACIÓN

Escriba en los espacios...
1.- parece ser/ 2.- no te diré que/ 3.- me imagino que/ 4.- ya sabes que según sea/ 5.- ¿y eso de .... ¿qué es?/ 6.- vaya ...... que estás hecho/ 7.- no te creas.

Sustituya los infinitivos...
1.- termine/ 2.- estén; puedan/ 3.- legalice/ 4.- haya/ 5.- rellene/ 6.- recortemos/ 7.- desaparezcan/ 8.- se extienda.

Evolución de las exportaciones.
2.- hayan ascendido/ 3.- se haya reducido/ 4.- se haya situado/ 5.- haya propiciado/ 6.- hayan tenido/ 7.- se haya situado; se sitúe.

Líneas desordenadas.
El director de la empresa Karol ha anunciado que en su compañía ha puesto en marcha un plan estratégico para reducir la producción anual en las plantas de su país e incrementar la producción de sus factorías situadas en otros lugares de Europa.

MANOS A LA OBRA

CLAVE

Viento en popa.
1-b/ 2-d/ 3-f/ 4-g/ 5-c/ 6-e/ 7-a.

En la discoteca.
1.- pongan/ 2.- sigas/ 3.- sea/ 4.- haya cambiado/ 5.- se acerque/ 6.- venga/ 7.- hables/ 8.- te preocupes/ 9.- dé/ 10.- vea/ 11.- me preocupe/ 12.- sea/ 13.- esté/ 14.- quieras.

UNIDAD 6
CÁMARAS DE COMERCIO

Busque en las frases...
1-e/ 2-h/ 3-d/ 4-a/ 5-c.

Antoni Negre.
1.- fueron/ 2.- estudió/ 3.- se inició/ 4.- fue/ 5.- compaginó/ 6.- fue/ 7.- fue/ 8.- dirigió/ 9.- fue/ 10.- lideraba.

Ferias.
1-c/ 2-e/ 3-a/ 4-g/ 5-f/ 6-b/ 7-d.

Cómo evitar errores al crear una empresa.
programar / crear / generar / iniciar / fracasar / emprender / arriesgar / orientar / informar / constituir / financiar / consultar.

En el mesón Braulio.
1.- pidieras/ 2.- hiciera/ 3.- escucharas/ 4.- compráramos/ 5.- olvidaras/ 6.- hubiéramos invertido/ 7.- adquiriéramos/ 8.- lo dejáramos/ 9.- fuera/ 10.- tuviera/ 11.- te casaras/ 12.- pudiera.

UNIDAD 7
LA BANCA

Busque la pareja y forme frases.
1-6/ 3-10/ 5-4/ 7-6/ 9-2.

Las tarjetas de crédito.
1-b/ 2-c/ 3-a/ 4-a/ 5-d/ 6-b/ 7-d.

Nuevo plan de pensiones.
1-d/ 2-c/ 3-c/ 4-b/ 5-g/ 6-e/ 7-f.

El banco en casa.
1-2-4-7-8-10-12.

Monedas, billetes... dinero

1. fue/ 2. tuvieron/ 3. usaron/ 4. emitió/ 5. provocó/ 6. hubo/ 7. daba/ 8. se convirtió/ 9. podía/ 10. fueron/ 11. emitieron/ 12. debían/ 13. se creó/ 14. retiraron/ 15. fueron/ 16. nacieron/ 17. tenían.

Escriba en los espacios en blanco...
1.- se fusionaran/ 2.- tuviera/ 3.- estuviera/ 4.- fueran/ 5.- exigieran/ 6.- concedieran.

Escoja la palabra adecuada.
1. -holding/ 2. -fusión - competidor - sinergias - pasivo - crediticia/ 3. - sistema/ 4. - créditos - ahorro.

Explique qué significan las palabras subrayadas.
letra de cambio: título-valor que el librador envía al librado para su aceptación basado en una deuda que éste tenía con aquel por un motivo comercial o financiero.
tráfico mercantil: actividad comercial.
riesgo: poximidad de un daño.
documento: instrumento escrito que ilustra sobre algún hecho.
plaza: lugar donde se realizan actividades comerciales.
moneda de curso legal: dinero con capacidad legal como medio de pago en un país determinado, en una época determinada.
pagaré: documento privado por el que una persona se compromete a pagar a otra en una fecha cierta.

En el restaurante.
1.- nos concedan/ 2.- avale/ 3.- quieras/ 4.- se interese/ 5.- apoye/ 6.- hables/ 7.- sea/ 8.- digas/ 9.- haga/ 10.- seas/ 11.- encontremos/ 12.- sepa/ 13.- consiga.

UNIDAD 8
LA BOLSA

Escriba en los espacios...
1.- Si me lo permiten/ 2.- qué tipo de/ 3.- no puede decirse/ 4.- no parece/ 5.- no hay que ser.

¿Recuerda la información...?
1-c/ 2-b/ 3-a/ 4-b/ 5-c/ 6-c/

La fiebre de la bolsa.
1.- acciones; cotizar/ 2.- brokers; cotización/ 3.- poder/ 4.- entidades/ 5.- operación; bursátil; inversiones/ 6.- éxito.

El broker Hoare Govett
1-a/ 2-en/ 3-en/ 4-de/ 5-con/ 6-de/ 7-en/ 8-a/ 9-en/ 10-de/ 11-de/ 12-de/ 13-entre/ 14-en/ 15-de/ 16-en/ 17-de/ 18-de/ 19-al/ 20-de/ 21-en/ 22-en/ 22 bis-de/ 23-a/ 24-antes de/ 25-a/ 26-en/ 27-del/ 28-de/ 29-de/ 30-de/ 31-en/ 32-en/ 33-con/ 34-de/ 35-de/ 36-del/ 38-del.

¿Qué le pediría a una buena inversión?
1 - d/ 2 - c/ 3 - a/ 4 - e/ 5 - b.

En el chiringuito "Casa Manolo".
1-del/ 2-a/ 3-de/ 4-por/ 5-a/ 6-a/ 7-de/ 8-para/ 9-a/ 10-a/ 11-en/ 12-en/ 13-del/14-en/ 15-sin/ 16-de/ 17-de/ 18-con/ 19-ante/ 20-a/ 21-por/ 22-de/ 23-a/ 24-de/ 25-en/ 26-de/ 27-de/ 28-de/ 29-con.

UNIDAD 9
LOS IMPUESTOS

Escriba en los espacios en blanco.
1.- se trata de/ 2.- vayamos por partes/ 3.- en su caso/ 4.- Tal como/ 5.- no debemos olvidar/ 6.- un punto a tener en cuenta.

Los salarios en especie.
1.- es/ 2.- van/ 3.- establece/ 4.- formen/ 5.- deriven/ 6.- supongan/ 7.- conceda.

Impuestos directos e indirectos.
1.- ingresó/ 2.- incremento/ 3.- recaudación/ 4.- ingresar/ 5.- tasa.

MANOS A LA OBRA

Las retenciones a cuenta del IRPF bajarán en enero.
1.- habría-hacían/ 2.- entraría-pudiera-cobraran/ 3.- preparaba-desarrollaba-canalizaran/ 4.- se contemplaba-debía-habíamos querido-produjeran-significaba-hubiera fracasado-había puesto-aflorara.

Cumplimentando la declaración de la renta.
1-d/ 2-c/ 3-a/ 4-f/ 5-b/ 6-e.

En la cocktelería"Loadas".
1.- tarde/ 2.- tengo/ 3.- me dejes/ 4.- conozco/ 5.- te preocupes/ 6.- haces/ 7.- consulto/ 8.- ha dado/ 9.- consulté/ 10.- aconsejó/ 11.- he pagado/ 12.- pase/ 13.- llega/ 14.- haya hecho/ 15.- presento/ 16.- tengo/ 17.- quieres/ 18.- lleva/ 19.- lleve/ 20.- estoy tomando/ 21.- lleváis/ 22.- importe/ 23.- me vaya/ 24.- dime/ 25.- ve/ 26.- me esperes.

UNIDAD 10
NEGOCIACIONES

Frases clave para negociar.
1.- Empezando una negociación/ 2.- Sugiriendo/ 3.- Ofreciendo/ 4.- Obteniendo información/ 5.- Mostrando acuerdo/ 6.- Aclarando posiciones/ 7.- Mostrando desacuerdo.

Relacione ¿Falso o correcto?
1-b/ 2-f/ 3-d/ 4-e/ 5-h/ 6-c/ 7-g/ 8-a.

Expresiones idiomáticas.
1-f/ 2-g/ 3-a/ 4-e/ 5-h/ 6-j/ 7-c/ 8-d/ 9-i/ 10-b.

UNIDAD 1. LA EMPRESA

ENTREVISTA AL SEÑOR MARCELINO ELOSÚA, DIRECTOR GENERAL DEL GRUPO ELOSÚA-CARBONELL.

1. Señor Elosúa, ¿podría decirnos cómo se llevó a cabo la adquisición de la empresa Carbonell?

- La empresa Carbonell se constituyó hace 125 años con un capital social de 750.000 ptas., y en el futuro se convirtió en la primera firma en el sector del aceite. Hace cinco años, ante su segura compra por un grupo multinacional, la administración apoyó al grupo Elosúa con un crédito de 4.500 millones de pesetas para la adquisición de la empresa.

2. ¿Cómo dirigió Elosúa la operación?

- Carbonell es el buque insignia del grupo Elosúa y hemos utilizado nuestras mejores ideas y nuestros mejores hombres para rentabilizar más la marca.
Esta ha sido la mejor operación que Elosúa ha hecho en su historia, dado que Carbonell ha aumentado el valor de la empresa para sus accionistas, y la que ha asegurado unas posibilidades de desarrollo profesional mejores para sus empleados.

3. En alguna ocasión usted ha dicho que el aceite no era negocio y que había otras actividades más rentables, ¿significa que se ha considerado la posibilidad de cambiar de actividad?

- Indudablemente dentro del grupo tenemos actividades más rentables.
En los últimos meses aceites ha ganado 800 millones de pesetas, pero sobre unos fondos propios invertidos en ese sector de 7.000 millones, una rentabilidad mucho más baja que los 177 millones que ha ganado legumbres, con una inversión de 400 millones. Esto no quiere decir que aceites no sea un negocio muy rentable a medio plazo. Pero en cualquier caso Elosúa tiene una vocación de permanencia clara en el sector de aceites, porque consideramos que España puede tener futuro en aquellos productos en los que tenga una posición competitiva mundial, como puede ser aceites, aceitunas y legumbres.

4. ¿Cuál es la situación del grupo en política exterior?

- Nuestra política exterior está relacionada con el objetivo de los tres productos mencionados. Por un lado tenemos empresas en México y Argentina que son para controlar el mercado local de producción, aunque también realicemos ventas. En México ya somos la segunda marca y han crecido nuestras ventas en un 50%.

UNIDAD 2. RECURSOS HUMANOS

EL SEÑOR JULIO LÓPEZ-AMO, DIRECTOR GENERAL DE LA FIRMA DE "HEAD-HUNTING" TRANSEARCH, CONCEDIÓ UNA ENTREVISTA AL PERIÓDICO "LA VANGUARDIA".

1. Sr. López-Amo, ¿Qué tipo de empresas son las que solicitan la colaboración de una firma de cazatalentos?

- Suelen ser empresas de tamaño medio -con una facturación por debajo de los 5.000 millones de pesetas- y buena parte de ellas están situadas fuera de Barcelona capital. Las empresas grandes suelen utilizar la política de promoción interna. Se trata de compañías en las que su sistema de organización tiene un mayor peso específico que el hombre en particular, mientras que en las empresas de tamaño medio sucede lo contrario.

2. Algunas compañías consideran caros los servicios de los "head-hunters", ¿es eso cierto?

- Todo servicio de calidad es lógico que sea caro. La búsqueda de un candidato requiere varios meses, aplicar una compleja metodología y mucho rigor de análisis. Por lo tanto, creo que los cazatalentos ofrecemos un servicio de calidad y resultamos rentables, teniendo en cuenta que los candidatos que elegimos pueden dar a ganar mucho dinero a la compañía.

3. ¿Qué es lo primero que hace un profesional del "head-hunting" cuando una empresa le pide que busque a un alto ejecutivo?

- Lo primero es realizar un detenido análisis de la compañía en cuestión. Este análisis implica conocer qué tipo de producto fabrica, el sector donde se mueve, quiénes son sus clientes, cuáles son las firmas de la competencia, cuál es su estrategia y planificación, qué tipo de cultura empresarial ha establecido y la línea de identidad corporativa que ha elegido.

4. ¿Cómo se inicia el análisis del candidato elegido para tal o cual empresa?

- Comienza con una serie de entrevistas en profundidad para conocer a la persona desde dos ópticas: su trayectoria profesional y sus características humanas.
La siguiente fase consiste en solicitar referencias del candidato en aquellas empresas en las que anteriormente haya desempeñado su labor, a excepción, lógicamente, de las que está trabajando. Los mismos aspirantes suelen proporcionar al "head-hunter" una lista de personas que pueden dar referencias de su trayectoria.

UNIDAD 3. MARKETING Y PUBLICIDAD

ENTREVISTA CON EL SEÑOR MARTIN SORRELL, PRESIDENTE DEL GRUPO WPP

El británico Martin Sorrell, presidente del Wire Plastic Products (WPP), uno de los primeros grupos mundiales de publicidad y comunicación empresarial, concedió una entrevista a "La Vanguardia" en la que trataba varios aspectos de su negocio.

1. Sr. Sorrell, ¿podría definir el perfil del consumidor de hoy?

- Creo que el consumidor cada vez tiende a ser más sabio y exigente. Asimismo, ya no cabe hablar de un consumidor global, sino de grupos de consumidores. Eso no quiere decir que en el futuro dejen de existir productos y marcas globales. Por ejemplo, en la Europa del mercado único una empresa puede fabricar un producto para venderlo al resto del continente, pero deberá diferenciar claramente el tipo de publicidad que ha de hacer en cada país.

Es evidente, también, que hoy en día la publicidad cada vez va más dirigida a franjas de consumidores en función de sus necesidades, cultura y poder adquisitivo.

2. ¿Se puede hablar de un cambio importante en las estrategias de publicidad en los últimos años?

- La pregunta es muy amplia, pero creo que el factor que ha dinamizado más este sector desde la Segunda Guerra Mundial ha sido el desarrollo de la televisión. En 1989, un tercio de la inversión publicitaria fue destinada a este medio. Como ejemplo significativo, el año pasado había en Gran Bretaña cuatro canales y terminaremos el presente con veinte, entre terrestres, vía satélite y cable.

No obstante, insisto en que el gran problema con el que topa mi sector es que los costes de la publicidad en televisión se han disparado, incluso por encima de la inflación, y que los clientes empiezan a mostrarse reticentes a invertir en este medio. Un dato importante al respecto: en los seis primeros meses de 1987 el coste de los anuncios televisivos en EE UU aumentó un 25%.

Pero el otro problema de fondo estriba en que estos elevados costes no guardan relación con la calidad de los programas. Los espectadores, en especial en Europa, ya empiezan a quejarse de que se les ofrezcan programas y series que repiten viejas fórmulas experimentadas en EE UU años atrás.

3. ¿Cree posible que el ciudadano se rebele un día al exceso de bombardeo publicitario?

- En varios países ya hay constancia de que esto está pasando, en especial con la publicidad dirigida por correo. Por lo tanto, nuestra misión consiste en ser cada vez más creativos para entregar un mensaje al consumidor sin necesidad de atosigarle. Pero esto ocurre también en el campo de los medios de comunicación.Hace dos meses había sólo dos diarios en Gran Bretaña con ediciones de calidad del domingo, ahora hay cinco. La comunicación en todas sus vertientes -medios escritos y audiovisuales, telecomunicaciones y transporte - es cada vez más rápida y compleja, y ello nos obliga a buscar otras fórmulas alternativas a las tradicionales para evitar un exceso de masificación.

4. ¿Cuál es su opinión sobre el nivel que ha alcanzado la publicidad en España?

- Bueno, he de confesar que no soy un experto en publicidad, ya que no he redactado en mi vida ni un solo anuncio. Como usted sabrá, yo soy economista y analizo este sector desde el punto de vista económico. Pero sí puedo decir que el mercado publicitario en España, al igual que otros países del sur de Europa, ha registrado crecimientos en torno al 20% anual. Realmente admiro el nivel creativo que ha alcanzado la publicidad en su país y también me ha sorprendido el fuerte crecimiento experimentado por el mercado de la televisión.

UNIDAD 4. COMPRAS Y VENTAS

ENTREVISTA AL SEÑOR FRANCIS STAHL, GERENTE DE LA EMPRESA AUTOMOVILÍSTICA RENAULT PARA ESPAÑA Y PORTUGAL

La venta de automóviles ha bajado en España un 13, 1%, y sobre ello le preguntamos al sr. Stahl.

1. Sr. Stahl, ¿cómo se explica que haya caído el mercado más en España que en Europa, habiendo un número de coches inferior por habitante?

- Hay que tener en cuenta que, en cinco años, las ventas anuales han aumentado de 500.000 coches a un millón. Si ahora nos quedamos en 900.000 es una bajada relativamente pequeña. En cualquier caso, el mercado español superará esta crisis y seguirá creciendo.

2. ¿Es responsable el IVA de la bajada de ventas de coches?

- Honestamente, pienso que no. Lo que es verdad es que el Gobierno tiene la posibilidad de relanzar el mercado rebajando el IVA, que es del 33%, al 27%, por ejemplo. Es un tema fundamental y estructural, porque no es posible que el gobierno mantenga el 33% cuando todos los Gobiernos de Europa lo tienen inferior.

3. ¿En qué se diferencia el mercado automovilístico español?

- Uno de los fenómenos que ha distinguido al mercado automovilístico español en los últimos años ha sido la proliferación de las ofertas para atraer al cliente: descuentos en el precio, sobrevaloración del coche usado, regalos......Renault ha cambiado su política comercial, eliminando totalmente las ofertas desde hace cuatro meses.

4. ¿Se ha llegado a vender por debajo del precio de coste?

- No creo que se llegara al "dumping", pero sí que los descuentos eran increíbles. Ello se debe a la peculiaridad del cliente español, que tiene menor fidelidad a las marcas y se guía más por la imagen o los deseos de cambiar.

UNIDAD 5. IMPORTACIÓN Y EXPORTACIÓN

ENTREVISTA A JUAN Mª TORRES, DE LA EMPRESA VINÍCOLA MIGUEL TORRES, S.A.

El sr. Juan Mª Torres, de la empresa vinícola española Miguel Torres, S.A., empresa líder en el sector, tanto en comercio interior como exterior, nos concedió la siguiente entrevista:

1. Sr. Torres, ¿podría decirnos cuál ha sido su estrategia a lo largo de estos años?

- Más que estrategia, podríamos llamarle un concepto del trabajo y del negocio, que se basa en el trabajo duro, la perseverancia, la honestidad con el cliente y la calidad. Este concepto lo fue desarrollando mi padre a lo largo de todos sus años de gestión.

2. ¿Ha cambiado ahora?

- No, ahora no ha cambiado. Simplemente, ha crecido. Tenemos un equipo especializado, una de cuyas misiones es controlar las partidas de vino. Si se produce alguna que no alcanza la calidad deseada, la retiramos inmediatamente. Además, nuestro equipo se dedica a investigar, innovar, mantener y superar la imagen de Torres. Por ejemplo, hemos sido pioneros en la plantación de cepas extranjeras y también hemos sido los primeros en mantener una relación directa con los clientes extranjeros.

3. Para entrar en otros países ¿con qué barreras se encuentran?

- En realidad, si me habla usted de aranceles, nos encontramos con las mismas barreras que puede encontrarse cualquiera. En EE UU, por ejemplo, los aranceles son muy fuertes. Por otra parte, están aquellos países cuya industria interior se muestra muy reacia a exportar, como Japón o Corea.

Las más importantes fueron las barreras culturales, ya que tradicionalmente se consideraba que sólo el vino francés tenía calidad. Afortunadamente, logramos romperlas.

4. Usted ha dicho que Torres es una empresa familiar. ¿Va a cambiar?

- No, aunque ahora haya habido cambios en la administración, ya que el puesto de mi padre como administrador único ha sido sustituido por un órgano de gobierno formado por presidente, vicepresidente, consejero-delegado, vocales y secretario, no tenemos intención de cambiar. No vamos a cotizarnos en la bolsa, por ejemplo. No vamos a pedir dinero prestado. Todo eso sería salir de nuestro concepto de empresa familiar. Vamos a seguir creciendo dentro de nuestras limitaciones propias.

UNIDAD 6. CÁMARAS DE COMERCIO

RAYMOND LE BRIS, DIRECTOR GENERAL DE LA CÁMARA DE PARIS

1. ¿Por qué la Cámara parisina tiene tanto interés en la formación de los trabajadores de las pequeñas y medianas empresas?

- Porque consideramos que el riesgo del Mercado Único Europeo es que únicamente las grandes multinacionales se aprovechen de su configuración. Si ocurriera algo así, el alma de la Comunidad Europea se perdería. Para evitarlo hay que ayudar a las *pymes*, pues la construcción de un verdadero mercado interior depende de la regeneración de este tipo de empresas. Por ello es importantísimo que estas compañías unan sus fuerzas, en la medida de lo posible, y aumenten su productividad. Esto no será posible si sus trabajadores no reciben la formación adecuada.
Además, hay que tener presente que este tipo de empresas jugarán un papel muy importante en el desarrollo de la vida cotidiana en Europa o en pequeños sectores como el de la producción y distribución agroalimentaria.

2. Entonces, ¿cómo quedará configurado el Mercado Europeo?

- Evidentemente, las multinacionales dominarán los sectores de tecnología avanzada, como electrónica, aeronáutica, automoción, pues este tipo de empresas requieren grandes inversiones de dinero, del que carecen las *pymes*. Pero éstas, además de cubrir las necesidades cotidianas de los ciudadanos europeos, tendrán que configurarse en redes industriales que abastezcan a las grandes multinacionales.

3. ¿Qué política comercial, según su experiencia, deberá seguir una *pyme* que quiera consolidar su posición en Europa?

Nosotros hemos realizado diferentes estudios para averiguar cuáles son las necesidades de las empresas europeas en materia de formación. Estos análisis nos han permitido aprender muchas cosas. Por ejemplo, que las empresas que quieran triunfar en un mercado diferente al de origen deberán adaptar sus productos a los gustos del país que quieren conquistar, especialmente en el aspecto comercial e incluso a la hora de realizar las campañas publicitarias. También es importante que los comités de dirección estén formados por personas de varias nacionalidades, pues esto proporciona una mentalidad más abierta y universal a la empresa.

4. ¿Considera que España podrá alcanzar finalmente el nivel de crecimiento económico de los países ricos de la Comunidad Europea?

- España terminará por integrarse económicamente dentro de los países ricos de la Comunidad Europea, pues es un socio indispensable. Además, la evolución de su economía durante los últimos cuatro años pone de manifiesto el esfuerzo que está realizando.

Actualidad Económica

UNIDAD 7. LA BANCA

ENTREVISTA A JOSEP VILARASAU, DIRECTOR GENERAL DE LA CAIXA D´ ESTALVIS I PENSIONS DE BARCELONA

ENRIC TINTORÉ

La Caixa d'Estalvis i Pensions de Barcelona, "la Caixa", ha consolidado ya su fusión, -que todavía no ha cumplido un año -, y además ha superado el "bache" en el descenso de beneficios que registró en 1990, según afirma el director general de la entidad, Josep Vilarasau, en una entrevista concedida a "La Vanguardia". Este año, a la vista de la evolución de los primeros meses, se espera cerrar con un importante incremento de los beneficios, que podrían llegar hasta los 34.000 millones, cifra que supondría un 50 por ciento de mejora.

1. ¿Cómo se explica esa mejora tan radical en unos tiempos tan difíciles?

- Hay muchas causas. Desde el punto de vista financiero, pese a la enorme competencia que hay tanto en las operaciones de activo como de pasivo, destacaría la fuerte transformación que estamos realizando de nuestros recursos de seguros y de desintermediación hacia depósitos de la propia Caja, lo cual nos permite convertirlos mejor en créditos. También estamos haciendo un importante esfuerzo en la prestación de nuevos servicios a los clientes, especialmente en servicios electrónicos, como es el caso de los datáfonos. Ello nos incrementa los ingresos por comisiones. Y, por último, citaría un tercer factor: la racionalización y la optimización de la propia organización interna de la entidad.

2. ¿La rebaja de las supercuentas ha ayudado a la mejora de resultados que "La Caixa" ha obtenido en el primer trimestre, no?

- Veo que los anuncios de televisión y de prensa informan de una reducción de los tipos de interés del pasivo. Pero eso no se detecta todavía en el mercado. Es decir, que la competencia sigue siendo bastante dura, igual a la que existía antes de esos anuncios.

Y eso es así no sólo porque los ahorradores se han sofisticado mucho y piden más por sus ahorros, sino porque han salido nuevos instrumentos que presentan una fuerte competencia. Me refiero, por ejemplo, a los fondos de dinero. No quiero decir con ello que, con el tiempo, la rentabilidad de los depósitos del sistema financiero pueda descender. Pero, en todo caso, eso se producirá más en los límites máximos de la remuneración que en el promedio.

3. ¿Y qué estrategias de defensa tiene una Caja frente a este encarecimiento de sus depósitos que, lógicamente, va en contra de sus beneficios?

- Las mismas que cualquier otra entidad: competir. Y competir quiere decir ser más eficaz. En esta casa, por ejemplo, administramos más volumen de dinero por empleado que en los bancos de mismo tamaño. Tenemos, pues, una elevada productividad. Y ésta ha de seguir siendo nuestra defensa. Las Cajas también nos caracterizamos, y la nuestra por encima de todas, por la atención al cliente. Éste es otro factor diferencial importante para competir.

4. Usted ve difícil que pueda bajar la rentabilidad media del ahorro. ¿Supongo, entonces, que también ve difícil que pueda bajar el coste de los créditos?

- El tipo de interés de los créditos ha bajado en todo el sistema financiero entre uno y casi dos puntos en los últimos tres meses. Nosotros hemos hecho lo mismo. Algunos bancos lo han anunciado incluso con grandes pancartas en sus fachadas. Nosotros no lo hemos anunciado pero lo hemos hecho.

La Vanguardia

UNIDAD 8. LA BOLSA

José María López Arcas, agente de Bolsa, inspector de Finanzas del Estado, doctor en Derecho y economista, ha defendido en la Universidad de Deusto de Bilbao su tesis doctoral sobre la necesidad de una única Bolsa Europea. En la entrevista concedida al periódico "Expansión" comenta algunos aspectos de su tesis.

1. ¿Cuál es el contenido de su tesis?

- Su título, resumido de cara a la publicación del libro, será "La Bolsa de Europa", y pretende analizar la realidad actual del mercado bursátil y las previsiones de futuro.

2. ¿Cómo sería esa única Bolsa?

- Sería europea, informatizada, conectada con los demás sistemas bursátiles nacionales, que pasarían a ser terminales contractuales.
Esta Bolsa contaría con el apoyo del Banco Europeo Futuro, del que debe depender, porque, a mi juicio, debe haber una unidad en la gestión de los mercados financieros y bursátiles.

3. ¿Qué títulos cotizarían en esa Bolsa?

- En un primer mercado informatizado, cotizarían los más importantes que hoy se mueven a nivel europeo; los 300 ó 400 más significativos.
También debería existir un segundo mercado para otros valores, que podrían cotizar en los sistemas bursátiles nacionales... siendo accesibles informáticamente desde Europa.

4. ¿Es la Bolsa Europea una decisión fundamentalmente política?

- No. Esta misma pregunta me la he planteado yo en mi tesis doctoral y la respuesta final es negativa. La tesis llega a una primera conclusión, y es que el proceso de unificación de los mercados bursátiles europeos es algo que, aunque no fuera razonable económicamente, deriva del proceso de unidad europea. Pero a continuación me hago la pregunta de si además de esta razón, de tipo político, no existe también una razón económica que lo aconseje, y entiendo que existe claramente, sobre la base tanto de la diferencia horaria europea, como del problema de afrontar los costes operativos de tantos mercados, como del tamaño de nuestros competidores.

UNIDAD 9. LOS IMPUESTOS

ENTREVISTAMOS A RAMÓN DRAKE

1. Qué valoración hace del nuevo Impuesto sobre la Renta de las Personas Físicas (IRPF), recién aprobado?

- Pues no veo que sea un impuesto nuevo. Es el IRPF, que ya tiene, si no me equivoco, alrededor de doce años de rodaje, con una serie de modificaciones. Unas han contribuido a perfeccionarlo y otras mucho menos.

2. ¿Qué otros aspectos no ha terminado de arreglar la actual reforma?

- La tarifa sigue siendo muy fuerte. Para los que declaren todos sus ingresos, los tipos de gravamen son muy altos. Aunque se han rebajado algo con relación a la tarifa anterior, hay una presión fiscal muy fuerte. Tenga en cuenta que, al llegar a los 12 millones de pesetas, el tipo de gravamen sube por encima del 50 por ciento.

3. ¿Cree que tal situación se puede traducir en que los contribuyentes renuncien a ganar más dinero?

- Ése es un efecto. Se puede llegar a un determinado volumen de ingresos a partir del cual la gente piense que incrementarlo le supone trabajar para el fisco. El otro efecto es que el contribuyente no renuncie a ganar más dinero, pero le cueste pagar cantidades muy elevadas y, por tanto, defraude. Una tarifa progresiva fuerte puede conducir a que, a partir de una determinada renta, desestimule trabajar más o estimule el fraude.

4. Los que defienden los tipos impositivos españoles ponen de ejemplo a otros países europeos con una presión fiscal más elevada...

- Sí, en Europa hay países con tipos más bajos, otros que los tienen iguales y otros más altos. Pero no se puede decir que paguen más, pagan menos. Para comparar las presiones fiscales entre diferentes países se debe conocer lo que paga y lo que recibe el contribuyente. Por ejemplo, se dice que Holanda o los estados nórdicos tienen los tipos de la renta superiores. Puede ser, pero usted sabe lo que el ciudadano holandés o el sueco recibe a cambio. Lo tienen todo gratis: vivienda, educación, enseñanza... Pero, ¡qué vivienda, qué educación y qué enseñanza...!
Hay que compararlo todo. Creo que España sigue teniendo unos tipos impositivos inferiores a la media europea, pero también está por debajo de tal media en los servicios que el ciudadano recibe del Estado. Se debe reconocer que educación, vivienda, pensiones, sanidad o comunicaciones son servicios deficientes en España, comparados con los europeos.

Economics

GLOSARIO

ESPAÑOL	ALEMÁN	FRANCÉS	INGLÉS
A			
Abonar (u. 7)	abonnieren	verser, payer	to pay
abrir una cuenta (u.7)	ein Konto eröffnen	ouvrir un compte	to open an account
acción (u.1)	Aktie	action	share
acciones (u.8)	Aktien	actions	shares
administrativo (u.6)	Verwaltungs...	administratif	administrative
adscripción (u.6)	zuschreibende Zuweisung	assignation, attribution	attribution assignment
agencia de aduanas (u.5)	Zollamt	bureau de douane	customs agency
agencia de publicidad (u.5)	Werbeagentur	agence de publicité	advertising agency
agente de aduanas (u.5)	Zollbeamte	agent de douane	customs official
agente de cambio y bolsa (8)	Börsenmakler	agent de change	stockbroker
anular un pedido (u.4)	annulieren	annuler une commande	to cancel an order
anuncio (u.2 y 3)	Werbung	annonce	advertisement
arancel (u.5)	Zoll-Tarif	droits de douane	customs tariff
asalariado (u.7)	Lohnempfänger	salarié	wage earner
asesor de empresas (u.1)	Berater einer Firma	conseiller	company advisor
asignación de tiempo (u.8)	Zeitanweisung	attribution de temps	time assignment
avalista (u.7)	Bürge	garant, aval	guarantor
B			
Beneficio (u.6)	Gewinn, Profit	bénéfice	profit, benefit
BOE (u.6)	Staatliches Amtsblatt	Journal Officiel	------------------
bolsa (u.1 y 8)	Börse	Bourse	stock
broker (u.8)	Makler	courtier	broker
burocráticos (u.2)	bürokratischen	bureaucratiques	bureaucrats
C			
Cámara de Comercio (u.6)	Handelskammer	Chambre de Commerce	chamber of commerce
campo (u.3)	Bereich	domaine	field
capital (u.1)	Kapital	capital	capital
capital social (u.1)	Gesellschafts Kapital	capital social	company capital
cartel (u.2)	Plakat	affiche	cartel, trust
carrera (u.2)	Karriere	études	course
catálogo (u.2)	Katalog	catalogue	catalogue
censo (u.6)	Volkszählung	recensement	census
certificado de origen (u. 5 y 6)	Ursprungszeugnis	certificat d'origine	certificate of origin
cliente (u.3,4,7)	Klient, Kunde	client	client, customer
cobrar (u.7)	einlösen (Scheck)	toucher	to collect
comercio exterior (u.6)	Außenhandel	commerce extérieur	foreign trade
comercio interior (u.6)	Binnenhandel	commerce intérieur	national trade
comic (u.3)	Comic	bande dessinée	comic
comisión (u.4)	Provision	commission	commission
comité de empresa (u.2)	Betriebsrat	comité d'entreprise	enterprise committee
competidor (u.4)	Konkurrent	concurrent	competitor
consejo de administración (u.1)	Verwaltungsrat	Conseil d'Administration	board of directors
cónsul (u.5)	Konsul	consul	consul
consumidor (u.3)	Verbraucher, Konsument	consommateur	consumer
contrato de prueba (u.2)	Vertrag auf Probe	période d'essai	trial contract
contrato por cuenta ajena (u.2)	Arbeitsvertrag	contrat de travail	foreing account contract
contribución territorial (u.9)	Grundsteur	contribution territoriale	land tax
convenio (u.2 y 5)	Vereinbarung	convention	settlement
corros (u.8)	Börsenkreis	parquet	stock exchange ring
coste (u.3)	Kosten	coût, prix	cost
cotizar (u.1 y 8)	notieren (Börse)	coter	to quote
crédito (u.7)	Kredit	crédit	credit, loan
crisis (u.4)	Krise	crise	crisis, depression
cuenta corriente bancaria (u.7)	Kontokorrent	compte courant bancaire	current bank account
cuota (u.6)	Quote, Anteil	cotisation, quote-part	quota
cupones de ampliación de capital (u.8)	------------	----------------	capital enlargement coupon
cursos de formación (u.6)	Ausbildungs Kurse	cours de formation	training courses
curriculum vitae (u.2)	Lebenslauf	curriculum vitae	curriculum vitae
CH			
Cheque (u.7)	Scheck	chèque	check
D			
Deducción (u.9)	Schlußfolgerung	déduction	deduction
dedución fiscal (u.9)	Steurvergünstigung	déduction fiscale	tax credit
demora (u.4)	Verzögerung	retard	delay
derechos arancelarios (u.5)	Zoll, Zölle	droits de douane	customs duty
derecho internacional (u.5)	international Recht	droit international	international law
desarme arancelario (u.5)	Zollabbau	réduction progressive des droits de douane	elimination of customs duties
descuento (u.3)	Rabatt	remise	discount
díptico (u.3)	Diptychon	diptyque	diptych
disponer (u.7)	verfügen	disposer, utiliser	to dispose
documento (u.5)	Urkunde, Dokument	document	document
dorso (u.7)	Rückseite	dos, verso	rear

GLOSARIO

ESPAÑOL	ALEMÁN	FRANCÉS	INGLÉS
E			
Ejercicio fiscal (u.9)	Geschäftsjahr	exercice fiscal	fiscal year
elecciones (u.9)	Wahlen	élections	elections
empresa (u.4)	Firma	entreprise	firm, company
entrega (u.4)	Lieferung	livraison	delivery
entrevista (u.2)	Interview	entretien	interview
eslogan (u.2)	Werbespruch	slogan	slogan
estadística (u.6)	Statistik	statistique	statistics
euroventanilla (u.6)	---------------	-----------	euroventure
existencias (u.4)	Vorräte	stock	stock
experiencia (u.2)	Erfahrung	expérience	experience
exportación (u.1)	Ausfuhr, Export	exportation	exportation
exportado (u.5)	exportiert	exporté	exported
extender su firma (u.7)	unterschreiben	apposer sa signature	to sign
F			
Facilidades de pago (u.4)	großzügige Zahlungsbedingungen	facilités de paiement	easy payment terms
feria (u.3)	Messe	foire	fair
filial (u.2)	Tochtergesellschaft	filiale	subsidiary, branch
folleto (u.3)	Broschüre	brochure, notice	brochure
frontera (u.5)	Grenze	frontiére	frontier, border
G			
Gestor (u.6)	Geschäftsführer	démarcheur, gestionnaire	manager
gravar (u.9)	besteuern	grever	to tax
H			
Honorario (u.1)	Honorar, Gehalt	honoraires	professional fee
horario laboral (u.2)	Arbeitszeit	honoraire de travail	working day
horas extraordinarias (u.2)	Überstunden	heures supplémentaires	overtime
I			
Importación (u.1)	Einfuhr, Import	importation	importation
importación temporal (u.5)	------------------	importation temporaire	temporary imports
importado (u.5)	importiert	importé	imported
impuesto (u.1)	Steuer	impôt	tax
impuestos (u.5)	Steuern	impôts	taxes
impuesto de compensación (u.5)	Ausgleichssteur	impôt de compensation	compensatory tax
impuesto sobre beneficios de sociedades (u.9)	Körperschaftssteur	impôt sur bénéfices de sociétés	corporate income tax
impuesto de transmisiones patrimoniales (u.9)	Vermögenssteuer	impôt sur transfers patrimoniaux	wealth tax
impuestos municipales (u.9)	Kommunal abgabe	impôts municipaux	municipal taxes
incidencia (u.5)	Auswirkung	incident	incident
índice bursátil (u.8)	Börsenindex	index boursier	stockmarket index
informática (u.8)	Informatik	informatique	computer science
ingresar (u.7)	einzahlen	déposer, verser	to deposit
inmueble (u.9)	Immobilien	immeuble	property, estate
institución (u.8)	Institut,Gründung	institution	institution
interés (u.7)	Zinsen	intérêt	interest
intermediario (u.4)	Zwischenhändler	intermédiaire	middleman
inventario (u.4)	Inventur	inventaire	inventory
inversión en activos (u.9)	Investition in Aktiva	investissement en actifs	active investment
investigación y desarrollo (u.9)	Forschung und Entwicklung	recherche et développement	research and development
IVA (u.9)	Mehrwertsteuer	TVA (sigle)	VAT, value added tax
J			
Jefe de personal (u.2)	Personalchef	chef du personnel	head of staff
junta general de accionistas (u.1)	Hauptversammlung	Assemblée générale des actionnaires	stockholder's meeting
L			
Legalizar (u.5)	beglaubigen	légaliser	to legalize
lema (u.3)	Motto, Slogan	devise	slogan
ley de presupuestos (u.6)	Haushaltsrecht	loi de budgets	budget law
leyes de aduanas (u.5)	Zollrecht	lois de douane	customs laws
licenciado (u.2)	Staatsexamen abgelegt haben	licencié	graduate
M			
Margen de beneficio (u.4)	Gewinnspanne	marge bénéficiaire	profit margin
materia prima (u.4)	Rohstoff	matière première	raw material
mayorista (u.4)	Grosshändler	grossiste	wholesaler
medios de comunicación (u.3)	Medien	médias	media
memoria anual (u.6)	Jahresbericht	mémoire annuel	annual report
mercado continuo (u.8)	fortlaufende Notierungen	marché continu	continual market
mercado de futuros (u.8)	Terminmarkt	marché futur	futures market
mercado de valores (u.8)	Wertpapierbörse	marché de titres	stock market
mercado monetario (u.8)	Geldmarkt	marché monétaire	money market
mercancía (u.4 y 5)	Waren	marchandise	merchandise
montar un negocio (u.1)	eine Firma gründen	monter une affaire	to establish a business

GLOSARIO

ESPAÑOL	ALEMÁN	FRANCÉS	INGLÉS
N			
Negocio de importación-exportación (u.5)	Einfuhr-Ausfuhrhandel	affaire d´import-export	import-exporter business
NIF (u.2 y 7)	-----------------------	Numéro d'Identification Fiscale	fiscal identity number
nominativo (u.7)	auf den Namen laufender	nominatif	to order, nominative
número de referencia (u.4)	Referenznummer	référence	reference number
O			
Obligaciones tributarias (u.9)	Steuerschuld	obligations fiscales	debenture taxes
obligatorio (u.6)	verbindlich	obligatoire	compulsory
oferta (u.3)	Angebot	offre	offer, supply
oficina de administración (u.2)	Geschäftszimmer	bureau d'administration	administrative office
opción (u.8)	Option	option	option
ordenador (u.8)	Computer	ordinateur	computer
órgano consultivo (u.6)	Beratungsausschuss	organisme consultatif	advisory unit
órgano de la administración (u.5)	Verwaltungskörper	organisme de l'administration	administrative unit
P			
Pagas dobles (u.2)	doppelte Zahlung	treizième mois, quatorzième mois...	double payment
pagas mensuales (u.2)	monatliche Zahlung	payes mensuelles, salaires mensuels	monthly payments
pago de los derechos (u.5)	Zahlungsverpflichtung	paiement des droits	rights payment
pagos mensuales (u.7)	monatliche Zahlung	paiements mensuels, versements mensuels	monthly payments
participación (u.1)	Beteiligung	participation	sharing
patrimonio (u.1 y 7)	Nachlass	patrimoine	patrimony, estate
pedido (u.4)	Bestellung	commande	order
perfil del consumidor (u.3)	Kundenprofil	profil du consommateur	consumer profile
periódico (u.3)	Zeitung	journal	newspaper
personal (u.2)	Personal	personnel	personal
plantilla (u.2)	Belegschaft	(ensemble du) personnel	staff
plazos de entrega (u.4)	Liefefrist	délais de livraison	delivery time
portador (u.7)	Überbringer	porteur	bearer
posibilidades económicas (u.3)	wirtschaftliche Möglichkeiten	moyens	economic possibilities
precio (u.4)	Preis	prix	price
preparación (u.2)	Vorbereitung	préparation	preparation
presidente (u.6)	Präsident	président	chairman, president
préstamo (u.7)	Darlehen	prêt	loan
producto (u.4)	Produkt	produit	product
producto nacional (u.5)	National-produkt	produit national	national product
productos semielaborados (u.5)	Halbzeug	produits semi-finis	semi-finished goods
promocionar (u.3)	befördern	promouvoir	to promote
propuesta (u.6)	Vorschlag	proposition	proposal
proveedor (u.4)	Lieferant	fournisseur	supplier
proyecto de desarrollo (u.2)	Entwicklungsprojekt	projet d'expansion, projet de développement	development project
publicidad (u.3)	Werbung	publicité	advertising
publicidad directa (u.3)	Direktwerbung durch Postwurfsendungen	publicité directe	direct mail advertising
puesto (u.2)	Arbeitsplatz	poste	post, job
punto de venta (u.4)	Verkaufsort	point de vente	point of sale
punto de embarque (u.5)	Einschiffungsort	lieu d'embarquement	----------------
punto de destino (u.5)	Zielort	point de destination	----------------
punto de descarga (u.5)	Abladeplatz	lieu de déchargement	----------------
PYME (u.2)	-------------	Petite et Moyenne Entreprise (sigle)	small and medium sized business
Q			
Quiebra (u.1)	Konkurs	faillite	bankruptcy
R			
Rebaja (u.4)	Rabatt	rabais	rebate, discount
reclamación (u.5)	Reklamation, Mahnung	réclamation	claim
reclamar (u.4)	Reklamieren, mahnen	réclamer	to claim, to demand
rédito (u.7)	Kapitalertrag	intérêt	interest
remesa (u.6)	Rimesse, Sendung	envoi, expédition	shipment
renta fija (u.7)	festverzinsliche Erträge	rente fixe	fixed interest securities
revista (u.3)	Zeitschrift	revue, magazine	magazine
riesgo bancario (u.7)	Bankrisiko	risque bancaire	bank risk
S			
Salario anual bruto (u.2)	Jahres-Bruttoeinkommen	salaire annuel brut	gross annual salary
seción de compras (u.4)	Einkaufsabteilung	service achats	purchasing department
sector (u.4)	Sektor	secteur	sector
semanario (u.3)	Wochenzeitschrift	hebdomadaire	weekly
servicios (u.6)	Dienstleistungen	services	services
sistema fiscal (u.6)	Steuersystem	système fiscal	tax system
sociedad anónima (u.1)	Aktiengesellschaft	société anonyme	corporation (Inc)
sociedad de responsabilidad limitada (u.1)	Gesellschaft mit beschränkter Haftung (GmbH)	société à responsabilité limitée	limited liability company
sociedad comanditaria (u.1)	Kommanditgesellschaft	société en commandite	limited partnership